AFFONSO ROMANO DE SANT'ANNA

CRÔNICAS PARA JOVENS

Seleção, Prefácio e Notas Biobibliográficas
ANTONIETA CUNHA

© Affonso Romano de Sant'Anna, 2010
1ª Edição, Global Editora, São Paulo 2011
4ª Reimpressão, 2018

Jefferson L. Alves – diretor editorial
Antonieta Cunha – seleção
Cecilia Reggiani Lopes – edição
Flávio Samuel – gerente de produção
Dida Bessana – coordenadora editorial
Tatiana F. Souza – assistente editorial
Tatiana F. Souza, Tatiana Y. Tanaka – revisão
Geraldo Melo – foto de capa
Eduardo Okuno – projeto gráfico e capa
Tathiana A. Inocêncio – editoração eletrônica

Obra atualizada conforme o
NOVO ACORDO ORTOGRÁFICO DA LÍNGUA PORTUGUESA

CIP-BRASIL. CATALOGAÇÃO NA FONTE
SINDICATO NACIONAL DOS EDITORES DE LIVROS, RJ

Sant'Anna, Affonso Romano de.
  Affonso Romano de Sant'Anna : crônicas para jovens / seleção, prefácio e notas biobibliográficas Antonieta Cunha. – 1a ed. – São Paulo : Global, 2011. (Coleção Crônicas para Jovens).

  Bibliografia.
  ISBN 978-85-260-1519-7

  1. Crônicas brasileiras. I. Cunha, Antonieta. II. Título. III. Série.

10-09061   CDD-869.93

Índice para catálogo sistemático:

  1. Crônicas : Literatura brasileira   869.93

Direitos Reservados

global editora e distribuidora ltda.
Rua Pirapitingui, 111 – Liberdade
CEP 01508-020 – São Paulo – SP
Tel.: (11) 3277-7999 – Fax: (11) 3277-8141
e-mail: global@globaleditora.com.br
www.globaleditora.com.br

Colabore com a produção científica e cultural.
Proibida a reprodução total ou parcial desta obra sem a autorização do editor.

Nº de Catálogo: **3185**

AFFONSO ROMANO DE SANT'ANNA

CRÔNICAS PARA JOVENS

BIOGRAFIA DA SELECIONADORA

Maria Antonieta Antunes Cunha é doutora em Letras e mestre em Educação pela Universidade Federal de Minas Gerais. Professora aposentada da Faculdade de Letras da UFMG, hoje coordena cursos de especialização da Pontifícia Universidade Católica (PUC Minas). Editora e pesquisadora na área de leitura e literatura para crianças e jovens, tem planejado, coordenado e executado vários projetos nesse campo, entre eles, o Cantinhos de Leitura da Secretaria de Estado de Educação de Minas Gerais, adotado posteriormente em vários estados brasileiros. Foi a criadora e a primeira diretora da Biblioteca Pública Infantil e Juvenil de Belo Horizonte. Tem mais de trinta livros publicados, entre didáticos e de pesquisa. Por dois mandatos foi presidente da Câmara Mineira do Livro. Foi secretária de Cultura de Belo Horizonte, de 1993 a 1996, e presidente da Fundação Municipal de Cultura de Belo Horizonte, de 2005 a 2008.

A CRÔNICA

Muito provavelmente, a crônica, se não é o gênero literário mais apreciado, é o mais lido no Brasil. Ela tem, sobre os outros, a vantagem de se apresentar normalmente em jornais e revistas, o que aumenta enormemente seu público potencial. Outro ponto que conta a favor da crônica, considerando-se o público leitor em geral, é que ela é uma composição curta, uma vez que o espaço no jornal e na revista é sempre muito definido.

Mas essas mesmas características podem pesar contra a crônica: em princípio, ela é tão descartável quanto o jornal de ontem e a revista da semana passada, seja pela própria contingência de aparecer nesses veículos, seja pelo fato de, na maioria dos casos, correr o risco de não se constituir como página literária. Vira "produto altamente perecível", e realmente desaparece, a não ser em casos especiais: um fã ardoroso, que coleciona tudo do autor; um assunto palpitante para o leitor, que recorta e guarda o texto com cuidado; o arquivo do periódico...

Se o autor tem lastro literário e é reconhecido como escritor, crônicas suas, consideradas mais significativas, pelo assunto e pela qualidade estética, são selecionadas para virar livro – como é o caso deste que você começa a ler.

Digamos, ainda, que muitos consideram este um gênero literário tipicamente brasileiro, pelo menos com as características que assumiu hoje, e que conseguiu uma façanha: introduzir no cenário literário nacional um autor que só escreveu crônicas: Rubem Braga. Outros cronistas, antes e depois dele, eram ou são reconhecidos romancistas, poetas, ou dramaturgos, como Machado de Assis, Rachel de Queiroz, Olavo Bilac,

Cecília Meireles, Paulo Mendes Campos, Carlos Drummond de Andrade, Ferreira Gullar, Alcione Araújo, Nelson Rodrigues...

Mas a crônica cumpriu uma longa trajetória até chegar ao que é, nos dias de hoje, no Brasil.

Inicialmente, na Idade Média e no Renascimento, o substantivo "crônica" designava um texto de História, que registrava fatos de determinado momento da vida do povo, em geral com o nome de seu governante, rei ou imperador. (Afinal, sabemos que a História, sobretudo a mais antiga, narrava os fatos do ponto de vista do vencedor.) E – claro! – essas crônicas não apareciam em jornais nem em revistas: contavam basicamente com os escrivães dos governantes. Assim, temos a *Crônica de Dom João I*, a *Crônica de Portugal de 1419*.

Esse sentido histórico da palavra pode aparecer, eventualmente, como recurso literário, usado pelo autor para fazer parecer que está escrevendo História. Convido você a conhecer dois belos exemplos disso em obras que já se tornaram clássicos da literatura mundial: a novela *Crônica de uma morte anunciada*, do colombiano Gabriel García Márquez, e o romance *A peste*, do francês Albert Camus.

No Brasil, a crônica nos periódicos veio importada da França, ainda em meados do século XIX, cultivada por escritores como Machado de Assis, José de Alencar, Raul Pompeia, que no jornal escreviam folhetins (romances em capítulos) e crônicas. E acredite: a crônica era sisuda nesse tempo, e o folhetim era considerado "superficial", de puro entretenimento.

Como página séria, pequeno ensaio sobre temas políticos, críticas sociais, reflexões, durou muito tempo, embora, aqui e ali, aparecesse algum traço embrião do(s) estilo(s) da crônica atual.

É a partir da metade do século XX, com autores consagrados, como Vinicius de Moraes, Millôr Fernandes e Otto Lara

Resende, entre outros já citados, que o gênero adquire, definitivamente, uma identidade brasileira, com o uso "mais nacional" da língua portuguesa, e possibilitando liberdade quase absoluta, qualquer recorte que desejar dar-lhe seu autor.

De fato, observados os limites impostos pelo suporte no qual aparece, a crônica torna-se um gênero em que cabe tudo – inclusive outros gêneros: casos, cartas, pequenas cenas teatrais, poemas, prosas poéticas, imitações da Bíblia, diários etc. Nela cabem também todas as abordagens, todos os tons, do lírico ou dramático ao mais refinado humor ou escancarado deboche.

Daí, talvez, o encantamento do leitor pela crônica: dificilmente ele não encontrará, no gênero, a forma e o tom literários que prefere.

No caso das crônicas selecionadas de Affonso Romano de Sant'Anna, você verá que predomina, recheada de levíssimo humor e envolvente tom poético, a reflexão sobre questões, pequenas ou grandes, do cotidiano de todos nós. Porque, inevitavelmente, a crônica falará de certo tempo, um tempo que está estampado também nas demais páginas do jornal ou da revista onde ela se oferece, e que só se eterniza pela arte do cronista.

Antonieta Cunha

SUMÁRIO

O cronista de antenas ligadas 24 horas por dia 15
Mundo jovem 25
Quando se é jovem e forte 27
Antes que elas cresçam 30
Porta de colégio 33
O vestibular da vida 36
Fantasia erótica... 39
Sempre o amor 43
Pequenas seduções 45
Que presente te dar 48
O que querem as mulheres? 51
O homem que conheceu o amor 54
Como namoram os animais 57
Amor, o interminável aprendizado 60
Beleza, Arte & artistas... 63
Encontro com Bandeira 65
Resistir através da beleza 68
Perto e longe do poeta 71
De que ri a Mona Lisa? 74
O surgimento da beleza.. 77
Surpresas cotidianas 81
O que se perde com o tempo 83
Cultura do espetáculo... 86
Cordel da mulher gaieira e do seu cabra-machão 90
Mônica, aquela que vai morrer... 93
Nós e as palavras 97
O que uns dizem dos outros.. 99
Limpar as palavras.. 102
Tempo de delicadeza 105
Coisas de Deus e as do diabo 109
Deus passou por ali 111
Como Deus fala aos homens.. 115
Considerações sobre o diabo... 119
Bibliografia 123

O CRONISTA DE ANTENAS LIGADAS
24 HORAS POR DIA

Para esta entrevista exclusiva para os leitores deste livro, Affonso e Marina Colasanti, imbatíveis em delicadeza, me recebem no seu apartamento em Ipanema, no Rio de Janeiro. Além da generosidade e paciência, o Poeta me oferece alguns livros de sua vasta produção. E uma excelente prosa!

Para que os leitores possam curtir melhor a entrevista, parece-me importante apresentar alguns pontos importantes de sua biografia.

Affonso Romano de Sant'Anna, nascido em Belo Horizonte em 1937, fez o curso de Letras e o doutorado na Universidade Federal de Minas Gerais. Sua tese *Drummond, o Gauche no tempo* ganhou, após publicação, quatro prêmios importantes.

Ainda estudante, começou sua bem-sucedida carreira de poeta, professor e pesquisador, já prenunciando, também, uma vocação para o que, à falta de melhor expressão, vou chamar de "ativismo cultural". Por tudo isso, é reconhecido como um dos poetas mais importantes e um dos intelectuais mais considerados do Brasil.

Logo após o doutorado, mudou-se para o Rio de Janeiro e começou a dar aulas na PUC. Mesmo diante das ameaças da ditadura iniciada em 1964, promovia cursos e seminários nacionais considerados "subversivos". Assim foi na Expoesia, que reuniu seiscentos poetas, com o objetivo de fazer um balanço da poesia brasileira, e nos inúmeros encontros de escritores, críticos e professores, com a presença das figuras mais significativas do cenário literário nacional e internacional. Deu cursos em diversas universidades estrangeiras, como convidado, e orientou dezenas de dissertações e teses de pós-graduação. Participou de júris nacionais e internacionais de literatura, e foi figura proeminente de muitos festivais internacionais de poesia.

Foi presidente da Biblioteca Nacional, na década de 1990, quando iniciou programas importantes na área da leitura, como o Proler, e a própria modernização administrativa e operacional da instituição, definindo sua informatização e o Sistema Nacional de Bibliotecas.

Colaborou em importantes jornais e revistas do Brasil, como crítico literário, pesquisador e cronista. Ainda hoje escreve crônicas para o *Estado de Minas* e *Correio Braziliense*. Na televisão, na década de 1980, aceitou o desafio oferecido pela Globo de produzir poemas para programas do horário nobre.

Sua vasta obra é composta de dezessete livros de poesia (incluindo antologias); catorze livros de crônicas (incluindo antologias) e dezenove livros de ensaios e pesquisas, não somente sobre Literatura, mas também sobre Artes Plásticas e Música Popular Brasileira. Ele participa, ainda, de obras coletivas, sobretudo de ensaios e de poesia, 48 delas no Brasil e 34 no exterior.

Essa rica biografia não retirou de Affonso o entusiasmo pela participação, pelo desejo de comunhão, talvez sua principal característica, levada sistematicamente para todas as suas atuações na vida e que se evidenciará também na entrevista apresentada a seguir.

AC – No seu livro *O desemprego do poeta*, de 1962, você traça a trajetória da poesia ao longo da história da civilização e acaba, meio pessimista, por concluir que a poesia mudou de papel e que dificilmente tem lugar num mundo como o nosso. Hoje, com uma sociedade mais capitalista, mais pragmática e apressada, sua opinião é a mesma?

Affonso – Esse é um texto jovem, de um poeta que estava começando, com muitas expectativas a respeito das possibilidades de ligação entre poesia e sociedade. Havia esperanças vindas do pensamento socialista, a tentativa de harmonizar utopicamente vida e arte. Mas havia também certo pessimismo, porque vivíamos num mundo capitalista. Eu diria que, hoje, houve uma modificação na minha posição: sou, atualmente, mais realista e aberto a certas práticas que a minha trajetória acabou por me propiciar. Por exemplo: quando, nos anos 1980, o *Jornal do Brasil* iniciou a publicação de duas páginas inteiras de poemas ("Jornal de Poesia") e a TV Globo me chamou para fazer poemas para o *Fantástico, Jornal Nacional* e *Jornal da Globo* (e depois a Bandeirantes e a TVE fizeram coisa semelhante), eu percebi que havia um espaço a ser ocupado nos veículos de comunicação e dentro da comunicação de massa. O problema então é duplo. O primeiro é a vontade e disponibilidade editorial para se fazer isso. Quando mudam as diretorias das redações, os planos mudam. Na Globo, por exemplo, havia a Diléa Frate, que acreditava na poesia. No *JB* [*Jornal do Brasil*], o editor bancava o projeto. O segundo problema surge com os poetas, nem sempre dispostos a esse desafio, que é sempre uma experiência de risco. Hoje, tenho uma posição muito mais serena, com relação à poesia: ela é intemporal, pertence ao imaginário de toda sociedade, que precisa dela e a exercita. Cabe ao poeta tocar a sua poesia, de acordo com sua competência e seu temperamento.

AC – Mas é real a resistência das editoras, em geral, em editar poesia. Talvez o problema não exista para você, mas certamente ocorre para novos valores.

Affonso – O problema é maior mesmo na modernidade. Já me dizia Henriqueta Lisboa, quando ainda morava em Belo Horizonte, que o poeta tem de primeiro mostrar que é escritor, e depois fazer poesia. Ele tem de mostrar que existe, como personalidade, como intelectual, para se mostrar poeta. Acho que as editoras têm, em parte, razão: elas não são uma Santa Casa de Misericórdia. Se chega um autor desconhecido, qual a chance de divulgação de seu livro, que retorno dará à editora?

Para mim, o jogo é claro: editores e autores artesanais têm produzido e vendido dentro de certas expectativas. Há um nicho a ser trabalhado, um público-alvo, como diz a publicidade, e com muitas chances de dar certo, sem querer, naturalmente, que o livro venda 100 mil exemplares...

AC – As pesquisas sobre leitura, como essa recente, feita pelo Ibope, e registrada no livro *Retratos da leitura no Brasil*, mostram que uma porcentagem grande de entrevistados diz gostar e ler poesia.

Affonso – Isso tem a ver com a formação de uma geração – a minha, a sua. Nós tínhamos na escola concursos de poesia, de declamação de poemas. Nossas antologias tinham muitos poemas, e havia também a memorização deles. Nestas últimas décadas, parece que se memorizam mais músicas do que poemas.

Em todo caso, há um consenso geral: a poesia pertence ao lastro da cultura do povo. Quando estávamos (Marina e eu) lá no Irã, vimos pessoas citando poetas de mil anos atrás como se fossem vivos. Isso faz parte da cultura persa. Você sabia que, quando a pessoa sofre de mal de Alzheimer, ela esquece tudo, menos os poemas da infância?

AC – Em duas crônicas que selecionei para este livro, você fala de seu encontro, poeta talentoso, mas ainda iniciante, com dois poetas consagrados: Drummond e Bandeira. Você é muito procurado por poetas em início de carreira?

Affonso – Não há uma semana em que não receba duas cartas ou e-mails lembrando essas situações: "Você, um dia, procurou Bandeira...". Uma me escreveu, lembrando minha história com Drummond: "Eu sou aquela moça do fundo do elevador...".

Essas correlações têm matizes curiosos, e a presença de Drummond, por exemplo, precisaria até de um estudo maior. Houve entre nós muitas coincidências: ambos poetas mineiros, minha tese foi sobre ele, desfilei na Mangueira, quando foi homenageado, em 1987, o *JB* me chamou para substituí-lo como cronista. Os leitores fizeram uma ponte entre nós, a troca de uma figura por outra, estabelecendo uma possibilidade de paternidade nem sempre fácil para mim...

AC – Mas você tem recebido coisa de qualidade, tem podido encaminhar, dar dicas a esses poetas?

Affonso – Não é fácil encontrar coisa de qualidade, um trabalho especial com a linguagem. Muita gente faz menção ao fato de eu ter encaminhado Adélia Prado ao Drummond. Gostaria muito de ver surgir todo dia uma Adélia Prado, mas isso não é comum. Tenho muito prazer em encaminhar talentos. Sou do tipo aglutinador: a Expoesia, que reuniu seiscentos poetas brasileiros, era uma tentativa de dar visibilidade a eles. O "Jornal de Poesia", que circulava no *Jornal do Brasil*, tinha a mesma intenção.

AC – Vamos falar do cronista, agora. Você tem uma grande produção de crônicas. Que papel tem esse gênero na sua obra?

Affonso – Na realidade, comecei a escrever crônicas com quinze, dezesseis anos, ainda em Juiz de Fora. Já disse que sou um escritor crônico, já que para mim o poeta é o jornalista da vida humana. No meu caso, não faço grande distinção entre a poesia e a crônica, acho-as muito próximas, na minha experiência. Há poemas enraizados em minhas crônicas.

Para mim, a crônica é um gênero muito motivador: você tem de estar de antenas ligadas o tempo todo. Se não for cronista, o escritor pode deixar passar o que está acontecendo, como se não estivesse vivendo, ou não tendo com quem falar. Hoje, com a internet, os blogs, há os que escrevem aí suas crônicas. De todo modo, na crônica jornalística há um compromisso com a linguagem que pode faltar nos textos de internet. Escrever para jornais sempre me ensinou muitas coisas. Por exemplo, que não há texto que não possa ser melhorado com cortes.

Outro ponto interessante da crônica, pelo menos na minha experiência, é o fato de que ela, tratando do cotidiano imediato, tem o poder de interferir em algo concreto, no dia a dia das pessoas. Por exemplo: um dia, adoeci e fui parar num hospital, que queria cobrar taxas, procedimentos etc., enfim, uma conta enorme. Escrevi uma crônica sobre o Sistema de Saúde do Rio de Janeiro, e ela desencadeou uma série de providências e mudanças nos hospitais do Rio. Fiquei sabendo quanto hospitais e médicos recebiam dos planos de saúde, dos atrasos de pagamentos, questões que foram revistas. Dez anos depois, de novo num hospital, o diretor me disse: "Aqui você não paga nada, porque há dez anos, aquela sua crônica salvou meu hospital da ruína...".

Devo dizer que, quando comecei a escrever mais sistematicamente para os jornais, nos anos 1980, tinha a pretensão de introduzir na crônica o cotidiano social e político, que quase sempre estava excluído dessa produção. A crônica até então era meio alienada e ligeira. E acho que ajudei a fazer uma guinada da crônica, no sentido de fazê-la mais próxima de nossos problemas cotidianos, sociais ou políticos.

Além desse plano mais geral, social, a crônica com frequência ajuda as pessoas individualmente. Quase toda semana alguém me escreve para dizer que mudou de emprego, que voltou para o marido ou para a mulher, que entendeu melhor certa questão, porque leu determinada crônica minha. E isso me dá uma grande alegria.

AC – E o leitor Affonso Romano: o que ele gosta de ler?

Affonso – Leio muita poesia e ensaio. Leio menos ficção, sou muito exigente com as narrativas. Como dizia ironicamente Proust: "Não tenho tempo para prosa". Acho que a ficção tem de ter uma relação muito forte com a linguagem, como em Clarice e Guimarães Rosa, por exemplo, ou não vale a pena. Leio muito ciência: Física, Astronomia, Física Quântica. Mesmo porque a linguagem da ciência está muito mais próxima da poesia do que parece. A ciência também faz muito uso da metáfora. Tenho muitos poemas extraídos de livros de ciências. Leio muito, também, obras de Antropologia, pelos símbolos e rituais que ela estuda. Enfim, o ensaio é, para mim, muito alimentador.

AC – E você lê crônicas? Que cronistas prefere?

Affonso – Restringindo-me apenas aos clássicos recentes: Fernando Sabino tem aquela enorme agilidade de contador de casos. Rubem Braga cria novos parâmetros para a crônica, introduz nela a poesia do cotidiano. Já Paulo Mendes Campos tentou uma forma nova de crônica, com frases soltas e uma preocupação com a cultura. Temos aí três linhas diferentes da nossa crônica. Aliás, na literatura brasileira a relação entre cronista e escritor é histórica. Aconteceu, por exemplo, com Machado de Assis, Bilac, Rachel de Queiroz, Cecília Meireles, José Lins do Rego, Drummond. A crônica é um laboratório importante para o escritor.

AC – Você, desde cedo, atuou em muitas frentes, como poeta, pesquisador, professor, jornalista e mesmo gestor de políticas públicas. Dessas lutas empreendidas, qual ou quais valeram a pena, e quais não valeram, ou foram decepcionantes?

Affonso – Em geral, me ajudaram a entender o mundo. Hoje, quando a gente fala com um jovem sobre a ditadura [1964--1984 no Brasil], isso parece algo muito abstrato e longínquo, mas eram tempos muito difíceis. Fazer a Expoesia [1973], um movimento considerado pelo temido SNI [Serviço Nacional de Inteligência] o mais subversivo evento do ano, foi um risco e uma ousadia. Tentar aproximar a universidade dos problemas e da sociedade em geral foi uma experiência muito gratificante. Levar para lá críticos, tradutores, professores e tornar a PUC-Rio uma "Plaza Mayor" foi importante. Já na Biblioteca Nacional, foi essencial conhecer as vísceras do governo, tomar contato com a máquina burocrática – e isso é terrível! Como sempre digo, no Estado, a roda é quadrada, e você tem de fazer a máquina andar assim mesmo. Ter realizado tantos projetos, sem dinheiro e sem estrutura (passei por seis ministros da cultura e três presidentes!), foi um bom aprendizado.

AC – E o que lhe pareceu decepcionante?

Affonso – Eu ressaltaria, como intelectual, uma questão intrigante, à qual minha formação protestante e minha vocação grupal não se acostumam. Descobri que, entre intelectuais, a disputa vira uma selva selvagem, tanto ou mais cruel como o é entre comerciantes e políticos. Costumamos pensar nos artistas e intelectuais como pessoas especiais, mais generosas, que dispensam a agressividade. Ledo engano. Estudando Darwin, descobri que a agressividade é muito maior entre os da mesma espécie. Os músicos são mais agressivos e competitivos com os músicos, os poetas com os poetas e assim por diante, entre atores, professores. Isso é uma pena! Gasta-se muito tempo e energia em coisas que não pertencem à Arte.

AC – No livro que registra as experiências do programa TIM Grandes Escritores (*Pé na estrada*), há alguns anos, você revela que o Brasil de seus sonhos seria o de um avanço econômico para cada brasileiro e ao mesmo tempo um exemplo de democracia cultural. O sonho é o mesmo?

Affonso – Se o Brasil vier a ser a quinta economia do mundo em 2016, como dizem, esse avanço traz maiores responsabilidades para o Estado. Se o plano, nos últimos anos, foi criar uma biblioteca em cada município, nos próximos, temos de pensar em ter dez bibliotecas por município. Não podemos admitir que continue o que as próprias estatísticas do governo revelam: uma multidão de brasileiros que nunca foram a uma livraria ou ao teatro, que 92% dos municípios brasileiros não têm cinema nem teatro. Enfim, estamos muito atrasados em relação a nós mesmos. E temos de dar saltos qualitativos.

AC – Desde cedo nos acostumamos a vê-lo agindo: você parece estar sempre "em trânsito". Ainda hoje, apesar da maturidade e do reconhecimento público, você parece continuar com a mesma disposição para "pôr o pé na estrada", sempre aberto a fazer palestras, dar depoimentos, conversar com públicos das mais diversas idades e níveis culturais. É assim mesmo?

Affonso – Isso não é vantagem nenhuma, é traço de personalidade, não consigo ver alguma coisa e ficar alheio. Tenho de entender os fatos, sejam de que natureza forem, para me pacificar. Daí, por exemplo, essa minha incursão na Arte contemporânea: sem entendê-la, não fico sossegado. Isso serve para qualquer situação da vida: a fila que não anda, o museu que oferece obras sem sentido, o fato político mal explicado... Estar no mundo significa não estar alheio, e o que invade a minha vida precisa estar devidamente lido por mim.

AC – Esta entrevista vai aparecer num livro de crônicas suas, que a Global vai editar especialmente para o público jovem. O que você gostaria de dizer aos jovens e, eventualmente, aos aspirantes a poetas, a respeito da leitura e da escrita?

Affonso – Diria a eles que escrever é também um ato de ler: a leitura e a escrita são irmãs siamesas. Escrever é ler a si mesmo e ao outro. E a prática social tem demonstrado que as pessoas que têm melhor desempenho são aquelas que se leem (leem suas pulsões, seus sentimentos e desejos) e que leem os outros. Quem não lê tem um campo reduzido em todas as ações: vê tudo com um olho só. Está usando apenas uma parte de sua potencialidade.

Importante, hoje mais do que antigamente, é selecionar o que ler, ter estratégias para, nos pacotes oferecidos, em qualquer campo, buscar e absorver o essencial, descartar o que não é significativo.

Num mundo estruturado em outra lógica, fragmentado, contraditório, com códigos superpostos, sem aparentes hierarquias, é fundamental desenvolver a habilidade de distinguir e interligar os dados principais, mobilizar-se em torno deles.

Assim, é preciso tentar ler: a natureza, os movimentos sociais, as relações afetivas, as relações familiares, ler o Brasil e o mundo, antes de escrever.

Volto a dizer: o ato de ler e o de escrever estão sempre juntos, e isso não é obra do acaso.

MUNDO JOVEM

QUANDO SE É JOVEM E FORTE

Uma vez uma mulher me disse: vocês jovens não sabem a força que têm.

Ela falava isso como se colocasse uma coroa de louros num herói. Ela falava isso como se não apenas eu, mas todos os jovens fôssemos um grego olímpico ou um daqueles índios parrudões nos rituais da reserva do Xingu.

De certa maneira ela dizia: vocês têm o cetro na mão. E eu, jovem, tendo o cetro, não o via.

Aquela frase me fez olhá-la de onde ela falava: do lugar da não juventude. Ela expressava seu encantamento a partir de uma lacuna. Se colocava propositadamente no crepúsculo e com suas palavras me iluminava. Essa frase lançada generosamente sobre minha juventude poderia ter se perdido com tantas outras de que necessito hoje, mas não me lembro. Contudo, ela ficou invisível em alguma dobra da lembrança. Ficou bela e adormecida muitos séculos, encastelada, até que, de repente, despertou e me veio surpreender noutro ponto de minha trajetória.

Possivelmente a frase ficou oculta esperando-me amadurecer para ela. Só uma pessoa não-mais-jovem pode repronunciá-la com a tensão que ela exige.

Vocês jovens não sabem a força que têm.

Pois essa frase deu para martelar em minha cabeça a toda a hora que uma adolescente passa com sua floresta de cabelos em minha tarde, toda vez que um rapaz de ombros largos e trezentos dentes na boca sorri com estardalhaço gesticulando nas vitrinas das esquinas.

Possivelmente é uma frase ainda mais luminosa no verão.

E mais irradiantemente bela ainda quando termina e principia e tudo recobra força e viço, e a pele do mundo fica eternamente jovem.

Outro dia a frase irrompeu silenciosamente em mim como coroamento de uma cena. Uma cena, no entanto, trivial.

Estávamos ali na sala de um apartamento e conversávamos. Um grupo, digamos, de pessoas maduras. Cada um com seu copinho de uísque na mão, conversando sobre negócios e banalidades. De repente entra pela sala uma adolescente preparando-se para sair. Entra como faz toda adolescente: pedindo à mãe que veja qualquer coisa em seu vestido ou lhe empreste uma joia. E quando ela entrou tão naturalmente linda, não de uma beleza excepcional, mas de uma beleza que se espera que uma jovem tenha, quando ela entrou, um a um, todos, foram murchando suas frases para ficarem em pura contemplação.

Ali, era disfarçar e contemplar. Parar e haurir.

Poder-se-ia argumentar que vestida assim ela parecia Grace Kelly, um cisne solicitando adoração. Mas se assim é, por que a mesma cena se repetiu quando entrou outra irmã, impromptamente, de jeans, vinda da rua, espalhando brilho nos dentes e vida nos cabelos?

Olhava-se para uma, olhava-se para outra. Olhava-se para os pais que orgulhosos colhiam a mensagem no ar. E surge a terceira filha, também adolescente com aquela roupa displicente que, em vez de ocultar, revela mais ainda juventude.

Essa experiência se repete quando numa família são apresentados os filhos jovens. Igualmente quando se entra numa universidade e se vê aquele enxame de camisetas, jeans e tênis gesticulando e rindo entre uma sala e outra, entre um sanduíche e um livro, sentados, displicentes, namorando sob árvores e na grama, como se dissessem: eu tenho a juventude, o saber vem por acréscimo.

Infelizmente não vem. E a juventude se gasta. Como as pedras se gastam, como as roupas se gastam, se gasta a pele, embora a alma se torne mais densa ou encorpada.

Algo semelhante ocorre diante de qualquer criança. Para um bebê convergem todas as atenções na sala. Sorrisos se desenham nos rostos adultos e o ambiente é de terna devoção. É a presença da vida, que no jovem parece ter atingido seu auge.

Por isso, ver um (ou uma) jovem no esplendor da idade é como ver o artista no instante de seu salto mais brilhante e perigoso ou ver a flor na hora em que potencializa toda sua vida e imediatamente nunca mais será a mesma.

Claro, há jovens que são foscos e velhos que são radiosos adolescentes. Não é disso que falo.

Estou falando de outra coisa desde o princípio. Daquela frase que aquela mulher depositou na minha juventude e agora renasceu.

Gostaria de doá-la a alguém. Penso nisso e a porta se abre. Irrompem, lindas, minhas duas filhas. Extasiado lhes dou um beijo e digo:

– Filhas, vocês não sabem que força têm.

ANTES QUE ELAS CRESÇAM

Há um período em que os pais vão ficando órfãos dos próprios filhos. É que as crianças crescem. Independentes de nós, como árvores tagarelas e pássaros estabanados, elas crescem sem pedir licença. Crescem como a inflação independente do governo e da vontade popular. Entre os estupros dos preços, os disparos dos discursos e o assalto das estações, elas crescem com uma estridência alegre e, às vezes, com alardeada arrogância.

Mas não crescem todos os dias, de igual maneira: crescem, de repente. Um dia se assentam perto de você no terraço e dizem uma frase de tal maturidade, que você sente que não pode mais trocar as fraldas daquela criatura.

Onde é que andou crescendo aquela danadinha, que você não percebia? Cadê aquele cheirinho de leite sobre a pele? Cadê a pazinha de brincar na areia, as festinhas de aniversário com palhaços, amiguinhos e o primeiro uniforme do maternal ou escola experimental?

Ela está crescendo num ritual de obediência orgânica e desobediência civil. E você agora está ali na porta da discoteca esperando que ela não apenas cresça, mas apareça. Ali estão muitos pais, ao volante, esperando que saiam esfuziantes sobre patins, cabelos soltos sobre as ancas. Essas são as nossas filhas, em pleno cio, lindas potrancas.

Entre hambúrgueres e refrigerantes nas esquinas, lá estão elas, com o uniforme de sua geração: incômodas mochilas da moda nos ombros ou então com o suéter amarrado na cintura. Está quente, a gente diz que vão estragar o suéter, mas não tem jeito, é o emblema da geração.

Pois ali estamos, depois do primeiro ou segundo casamento, com essa barba de jovem executivo ou intelectual em ascensão, as mães, às vezes, já com a primeira plástica e o casamento recomposto. Essas são as filhas que conseguimos gerar apesar dos golpes dos ventos, das colheitas das notícias e das ditaduras das horas. E elas crescem, meio amestradas, vendo como redigimos nossas teses e nos doutoramos nos nossos erros.

Há um período em que os pais vão ficando órfãos dos próprios filhos.

Longe já vai o momento em que o primeiro mênstruo foi recebido como um impacto de rosas vermelhas. Não mais as colheremos nas portas das discotecas e festas, quando surgiam entre gírias e canções. Passou o tempo do balé, da cultura francesa e inglesa. Saíram do banco de trás e passaram para o volante das próprias vidas. Só nos resta dizer "bonne route, bonne route" como naquela canção francesa narrando a emoção do pai quando a filha lhe oferece o primeiro jantar no apartamento dela.

Deveríamos ter ido mais vezes à cama delas ao anoitecer para ouvir sua alma respirando conversas e confidências entre os lençóis da infância e os adolescentes cobertos naquele quarto cheio de colagens, *posters* e agendas coloridas de Pilot. Não, não as levamos suficientes vezes ao maldito *drive-in*, ao Tablado para ver *Pluft*, não lhes demos suficientes hambúrgueres e cocas, não lhes compramos todos os sorvetes e roupas merecidas.

Elas cresceram sem que esgotássemos nelas todo nosso afeto.

No princípio subiam a serra ou iam à casa de praia entre embrulhos, comidas, engarrafamentos, natais, páscoas, piscinas e amiguinhas. Sim, havia as brigas dentro do carro, disputa pela janela, pedidos de sorvetes e sanduíches, cantorias infantis. Depois chegou a idade em que subir para a casa de campo com os pais começou a ser um esforço, um sofrimento, pois era impossível largar a turma aqui na praia e os primeiros namorados. Esse exílio dos pais, esse divórcio dos filhos, vai durar sete anos bíblicos. Agora é hora dos pais nas montanhas terem a solidão que queriam, mas, de repente, exalarem contagiosa saudade daquelas pestes.

O jeito é esperar. Qualquer hora podem nos dar netos. O neto é a hora do carinho ocioso e estocado, não exercido nos próprios filhos, e que não pode morrer conosco. Por isto os avós são tão desmesurados e distribuem tão incontrolável afeição. Os netos são a última oportunidade de reeditar o nosso afeto.

Por isso é necessário fazer alguma coisa a mais, antes que elas cresçam.

PORTA DE COLÉGIO

Passando pela porta de um colégio, me veio uma sensação nítida de que aquilo era a porta da própria vida. Banal, direis. Mas a sensação era tocante. Por isso, parei, como se precisasse ver melhor o que via e previa.

Primeiro há uma diferença de clima entre aquele bando de adolescentes espalhados pela calçada, sentados sobre carros, em torno de carrocinhas de doces e refrigerantes, e aqueles que transitam pela rua. Não é só o uniforme. Não é só a idade. É toda uma atmosfera, como se estivessem ainda dentro de uma redoma ou aquário, numa bolha, resguardados do mundo. Talvez não estejam. Vários já sofreram a pancada da separação dos pais. Aprenderam que a vida é também um exercício de separação. Um ou outro já transou droga, e com isto deve ter se sentido (equivocadamente) muito adulto. Mas há uma sensação de pureza angelical misturada com palpitação sexual, que se exibe nos gestos sedutores dos adolescentes. Ouvem-se gritos e risos cruzando a rua. Aqui e ali um casal de colegiais, abraçados, completamente dedicados ao beijo. Beijar em público: um dos ritos de quem assume o corpo e a idade. Treino para beijar o namorado na frente dos pais e da vida, como quem diz: também tenho desejos, veja como sei deslizar carícias.

Onde estarão esses meninos e meninas dentro de dez ou vinte anos?

Aquele ali, moreno, de cabelos longos corridos, que parece gostar de esportes, vai se interessar pela informática ou economia; aquela de cabelos loiros e crespos vai ser dona de butique; aquela morena de cabelos lisos quer ser médica; a gorduchinha vai acabar casando com um gerente de multinacional; aquela esguia, meio bailarina, achará um diplomata. Algumas estudarão Letras, se casarão, largarão tudo e passarão parte do dia levando filhos à praia e à praça e pegando-os de novo à tardinha no colégio. Sim, aquela quer ser professora de ginástica. Mas nem todos têm certeza sobre o que serão. Na hora do vestibular resolvem. Têm tempo. É isso. Têm tempo. Estão na porta da vida e podem brincar.

Aquela menina morena magrinha, com aparelho nos dentes, ainda vai engordar e ouvir muito elogio às suas pernas. Aquela de rabo de cavalo, dentro de dez anos, se apaixonará por um homem casado. Não saberá exatamente como tudo começou. De repente, percebeu que o estava esperando no lugar onde passava na praia. E o dia em que foi com ele ao motel pela primeira vez ficará vivo na memória.

É desagradável, mas aquele ali dará um desfalque na empresa em que será gerente. O outro irá fazer doutorado no exterior, se casará com estrangeira, descasará, deixará lá um filho – remorso constante. Às vezes lhe mandará passagens para passar o Natal com a família brasileira.

A turma já perdeu um colega num desastre de carro. É terrível, mas provavelmente um outro ficará pelas rodovias. Aquele vai tocar rock vários anos até arranjar um emprego em repartição pública. O homossexualismo despontará mais tarde naquele outro, espantosamente, logo nele que é já um dom-juan. Tão desinibido aquele, acabará líder comunitário e talvez político. Daqui a dez anos os outros dirão: ele sempre teve jeito, não lembra aquela mania de reunião e diretório? Aquelas duas ali se escolherão madrinhas de seus filhos e morarão no mesmo bairro, uma casada com engenheiro da Petrobras e outra com um físico nuclear. Um dia, uma dirá à outra no telefone, "tenho uma coisa para lhe contar: arranjei um amante. Aconteceu.

Assim, de repente. E o mais curioso é que continuo a gostar do meu marido".

Se fosse haver alguma ditadura no futuro, aquele ali seria guerrilheiro. Mas essa hipótese deve ser descartada.

Quem estará naquele avião acidentado? Quem construirá uma linda mansão e um dia convidará a todos da turma para uma grande festa rememorativa? Ah, o primeiro aborto! Aquela ali descobrirá os textos de Clarice Lispector e isto será uma iluminação para toda a vida. Quantos aparecerão na primeira página do jornal? Qual será o tranquilo comerciante e quem representará o país na ONU?

Estou olhando aquele bando de adolescentes com evidente ternura. Pudesse passava a mão nos seus cabelos e contava-lhes as últimas estórias da carochinha antes que o lobo feroz os assaltasse na esquina. Pudesse lhes diria daqui: aproveitem enquanto estão no aquário e na redoma, enquanto estão na porta da vida e do colégio. O destino também passa por aí. E a gente pode às vezes modificá-lo.

O VESTIBULAR DA VIDA

Um enduro sem moto, um rali sem carro, uma maratona onde, em vez de atletas, correm paraplégicos, cegos, presidiários, grávidas e doentes em suas macas, esta é a imagem que nos deixa este vestibular realizado esta semana, mobilizando centenas de milhares de jovens em todo o país.

Várias fotos mostram jovens correndo desabalados dentro de seus jeans justos e camisetas palavrosas em direção ao portão da universidade, como se fossem dar um salto tríplice. Como se fossem dar um salto sem vara. Como se fossem dar um salto na vida. Ao lado, aparecem parentes incentivando o corredor-saltador, aparecem colegas gritando em torcida. Correi, jovens, correi, que estreita é a porta que vos conduzirá à salvação! E ali está, como são Pedro, um porteiro ou guarda, que vai bater a porta na cara do retardatário, que chorará, implorará, arrancará os cabelos num ranger de dentes, enquanto, saltitantes, os mais espertos pulam (ocultamente) um muro e penetram o paraíso (ou inferno da múltipla escolha).

A Telerj declarou que teve que acordar mais de 10 mil jovens pelo despertador telefônico. Carlinhos Gordo, o maior ladrão de carros do país, estava entre os 39 presidiários que, no Rio, fizeram, mesmo na cadeia, o exame. Mais de trinta deficientes visuais tiveram que tatear as 51 folhas em braile. Maria Alice Nunes teve um filho e saiu da maternidade com o recém-nascido no colo para enfrentar o unificado. Um índio cego – o guarani José Oado, 24 anos – disputa uma vaga em História (ou na história?). Andréa Paula Machado, 17 anos, teve que interromper o exame escrito várias vezes, para o prazer oral do bebê que, entre uma mamada e outra, voltava ao colo da avó. Dois fiscais que transportavam as provas no caminho de Petrópolis morreram num acidente. Um estudante com rubéola fez, num posto médico, prova ao lado de outro com catapora. Todas as idades ali estavam representadas: Márcia Cristina da Silva, 13 anos, vejam só! Já começou a treinar para o vestibular de Medicina em 88, e neste só achou difícil a prova de literatura. Mas lá estava também Edgar Carvalho, 73 anos, advogado, trocando as delícias da aposentadoria pela ideia de se tornar médico e ainda ser útil aos outros. Por isso, discordo da jovem que o interpelou acusando-o de estar tirando a vaga de outro. Socialmente é melhor um velho de 73 anos que qualquer dos jovens que faltaram à prova porque dormiam, que não foram classificados porque achavam que vestibular era loto e vivem a ociosidade daninha à custa de seus pais.

Mas, de todos os casos, impressiona mais o de Maria Regina Gonçalves, uma enfermeira de 38 anos. Vejam que história mirabolante. Lá vai a nossa Maria Regina. Mas não vai simplesmente. Vai grávida. Vai grávida, mas não é uma grávida amparada pelo seu marido, mas uma grávida solteira, enfrentando o mundo com sua barriga e coragem. No entanto, hora e meia antes do exame, em São Cristóvão, é assaltada por três marmanjos covardes, que tomam dela os documentos, 200 mil cruzeiros, e o pior: lhe dão uma porção de safanões, num exercício de sadismo matinal.

Maria Regina poderia depois disso voltar chorando para casa e ficar lamuriando o resto da vida. Fez o contrário: foi em frente, embora, ao chegar no local, soubesse que uma outra colega, também assaltada, desistira do exame. Maria Regina deu um jeito, arranjou até cópia xerox de sua carteira de identidade, fez a prova, comprometendo-se a mostrar os outros documentos mais tarde.

Mas, de noite, teve uma hemorragia. Pena que os ladrões não pudessem ver a cena, pois ficariam mais felizes. O médico lhe ordena "repouso absoluto". Ela ali "repousando", mas agoniada, porque a burocracia lhe exigia comprovações de documentos para validar os exames. Como desgraça pouca é bobagem, quatro dias depois morre o pai de seu namorado, daí a uns dias ela aborta e teve que ficar mesmo internada.

E vede agora, ó filhinhos e filhinhas de papai, que esbanjais vossos corpinhos sem destino nas praias da irresponsabilidade! Maria Regina foi a primeira colocada (nota 96) no concurso para Enfermagem e Sanitarismo. Tirou primeiro lugar e seu nome não apareceu na lista. Ainda vai ter que provar que existe. Mas já impetrou mandado de segurança. É claro que vai ganhar. Espero.

FANTASIA ERÓTICA

O casal resolveu passar uma noite no motel. Ou melhor: foi resolvido que o casal deveria passar certa noite num motel. Resolvido não por eles, mas pelos filhos que queriam dar uma festa na casa dos pais, mas sem a presença dos coroas. E o afastamento de pai e mãe era pedido por duas razões que pareciam pertinentes: primeiro, que a festa era de jovens e o som seria da pesada; segundo, porque se armava um agito que iria até as oito da manhã.

No atual estágio de metamorfose da vida social e familiar, os filhos são acionistas do casamento. Houve tempo em que detinham 50% das ações, hoje possuem a maioria. A situação, portanto, é muito diferente daquela de antigamente na qual filho não dava palpite na organização da empresa matrimonial. Não só se chamava pai e mãe de senhor e senhora, mas tinha-se que pedir bênção, beijar a mão e chegar em casa às 10 horas da noite.

Mas no atual estágio da globalização o também casamento está sendo terceirizado. Por isso, os filhos desinibidamente disseram aos velhos que gostariam muito de dar uma grande festa na casa e, mais ainda, gostariam que eles passassem o fim de semana fora. E num gesto de sedução irrecusável, disseram à mãe: "Peça ao papai para te levar a um motel".

Ora, não há mulher casada que resista a esse convite feito pelo marido. Algumas não resistem nem ao convite feito por quem não é seu marido. Durante o namoro os casais frequentam motéis. Depois do casamento isso praticamente acaba e toda mulher ouve com certa inveja quando uma amiga lhe diz que o marido a levou a um motel. É um trunfo. É como se dissesse: "Está vendo, não preciso de amante".

O fato é que o casal, tanto por amor aos filhos quanto movido por fantasias arcaicas, topou a ideia. E os filhos sentiram certo orgulho daquilo. Até revelavam aos amigos o próximo paradeiro dos pais, como a dizer: "Eles são velhos, mas ainda batem uma bola legal".

E, de repente, o fato de o casal ir para o motel acabou virando uma fantasia que concorria com a fantasia da própria festa que os filhos queriam dar. Pois enquanto os filhos contavam como estavam saindo para comprar quantas e quais bebidas, a mulher discutia com que roupa ia ao motel. Enquanto os filhos faziam lista de convidados, o casal começou a comprar revistas tipo *Playboy*, para ver o endereço dos melhores motéis. Era como se estivessem fazendo licitação de obras. O marido até ligou para um amigo e disse: "Olha, Armando, descolei uma gata aí, você não conte pra ninguém, mas me diga qual o melhor motel da cidade". O outro ficou entre intrigado e cúmplice, e mesmo depois que o marido revelou que era para levar a própria mulher, o amigo ainda disse que ia ver, consultar e depois dizia. Não queria revelar seu conhecimento nessa área.

Finalmente chegou o dia da festa, os filhos já não sabiam se prestavam mais atenção na festa que preparavam ou na preparação que os pais faziam para sua noite num jardim das delícias. Os velhos faziam alongamento, tomavam sol, passaram-se cremes, beberam sucos, se preparando como se preparam atletas para a olimpíada.

Quando a galera começou a chegar à casa da festa, a atenção se dirigia mais para o casal que ia, glorioso, sair do que para os que, eufóricos, chegavam.

E lá se foi o casal. Mas, já no carro, se deram conta de que esqueceram de olhar e escolher o endereço do motel. Então tocaram para São Conrado. Entraram naquela região do Joá com dezenas de motéis. E ele: "Mulher, você escolhe". Mas o panorama era pouco estimulante. Parecia promoção de restaurante vendendo comida a quilo. Os preços de promoção denunciavam, tanto quanto a arquitetura, que não correspondia à fantasia do casal (e dos filhos). Chegaram a entrar num. O marido avisou: "Vou olhar primeiro, se não gostar, voltamos". Pois foram, não gostaram e saíram logo. E ainda ficaram por ali uns vinte minutos, entrando e saindo de motel, vendo, não gostando, arriscando serem vistos e difamados.

A noite ia avançando tanto quanto não avançando ia o trânsito na Barra e no Recreio. Ao mesmo tempo, pelo celular telefonam para casa para saberem da festa. A festa queria era saber do motel. "Não, ainda estamos procurando. Os que achamos não correspondem ao que queremos." (E isto foi repassado para todos da festa, que os coroas estavam fazendo um safári, um rali de motéis.) Finalmente acharam um motel, que parecia esplêndido. Era. Por isso havia fila aguardando vaga. O casal escolheu uma fantasiosa suíte. E enquanto aguardavam ao lado de outro carro, o marido disse: "Mulher, acho melhor começarmos a fazer alguma sacanagem aqui, senão vão achar que somos marido e mulher". A mulher disse: "Que é isto, me respeite, sou a mãe de seus filhos". Mas acabaram sendo chamados para a esperada suíte.

Era espetacular! Tão espetacular que a mãe não resistiu e telefonou para os filhos descrevendo o paraíso. A festa parou para ouvir a narrativa. E a mãe falava como se fosse Sherazade no apogeu de *As mil e uma noites*. A suíte era ampla e tinha uma iluminação especial para cada recanto. Luzes saíam de debaixo da cama, luzes piscavam numa pista de dança. Espelhos para todo lado, música de todo tipo e televisão com inúmeros canais estrangeiros. Junto a um jardim iluminado, um chafariz jorrava água e emoção. Havia a deliciosa banheira quente para hidromassagem. Cama giratória, sauna a vapor, e sauna seca, a escolher. Piscina de água quente corrente e um teto que se movia abrindo-se para uma lua cheia. Isso, além das louças inglesas, do cardápio e do champanha que rolava.

A descrição era a de um verdadeiro filme de Cecil B. DeMille, e Nelson Rodrigues diria que naquele motel havia até cascatas com jacaré.

A garotada ouviu aquela narrativa com uma fantasiosa inveja. E eram três e meia da manhã, hora em que começavam a cair pelas tabelas. A partir daí, a festa começou a definhar-definhar, até que, do fundo de sua adolescência, um jovem saiu-se com esse suspiro:

"Quando eu virar coroa ainda vou ter uma noite como eles".

SEMPRE O AMOR

PEQUENAS SEDUÇÕES

Não sei se eu teria observado a cena. Acho que foram os olhos femininos de minha amiga que tiveram a percepção que eu, irremissível macho, não tenho. E ela foi narrando e eu fui captando o que podia.

A cena se relaciona com essa coisa extraordinária que é o desejo e a irradiação que rutila num rápido flash de sedução!

Ia o ônibus seguindo pela rua. Cena banal, mas é da banalidade que as coisas extraordinárias se alimentam.

Dentro do ônibus, pessoas assentadinhas. Podia ter, não vi, mas imagino, uma colegial com o joelho à mostra, um ou outro senhor com uma pasta na mão, senhoras que iam ou vinham da feira, auxiliares de escritório com aqueles tênis e um motorista meio suado.

Nesse ônibus tinha sobretudo um casal e uma filha. Ela meio sacudida, quase bonita, ele meio acabrunhado, daquele tipo que já perdeu o brilho dos olhos e vê o mundo do fundo de sua impotência.

Não sei onde está a filha. Não pedi esse detalhe à amiga. Como no ônibus não cabem três num assento, ponha-a o leitor em qualquer banco perto do casal, de tal modo que, no final desta crônica, ela possa fazer umas perguntas aos pais sem ter de gritar.

Nosso ônibus está indo. Digo nosso, porque o leitor já deve ter embarcado na história, pois só assim as coisas funcionam.

E aí acontece uma cenazinha banal, mas que mudou a vida daquela mulher não sei por quantas horas e fantasias.

Na frente havia um mulato conhecido do casal. Parece que eles não haviam conversado na viagem. Talvez houvessem trocado uma ou outra frase. Não interessa. Minha amiga não precisou este detalhe. De repente, no entanto, o mulato deixa de ser um mulato qualquer. Na narração de minha amiga, quando ele se ergueu mostrando seu rosto na direção do casal, passou a ser um lindo mulato, um mulato lindo que se levanta para sair do ônibus.

Não é de hoje que mulatos lindos e feios entram e saem dos ônibus, sobretudo de ônibus que têm um casal com uma filha entre os passageiros.

Mas o mulato que vai ficando cada vez mais lindo dentro da narrativa, ao se levantar, vira-se para o casal conhecido e faz dois gestos dessemelhantes para o homem e para a mulher.

"Olha!" diz minha amiga, "aí aconteceu uma coisa incrível, o rosto da mulher brilhou, brilhou de repente".

O mulato, que minha amiga, continuando a narração, já chama de deslumbrante, tinha deflagrado na mulher um encantamento imprevisto.

"Ele sabia o que estava fazendo. Mandou o beijo e ainda ficou de perfil olhando lá para fora, expondo, por alguns segundos, para a mulher, a beleza de seu corpo."

O marido percebeu discretíssimamente que algo havia se passado. O "até logo" formal e escuro dirigido a ele exilava-o de sua mulher, a essa altura, envolvida no beijo caloroso e irrecusável que o dom-juan mandara à sua mulher.

O marido, que era marrom, ficou ainda mais sorumbático e eu já o imagino com a barba por fazer, dívidas a pagar, cansadíssimo à noite, nem querendo se dar o trabalho de maquinalmente fazer amor com a mulher.

Ele recebeu aquele gesto como um irrecusável presente que já não poderia dar à sua mulher. Parecia cena no campo, quando os machos disputam a fêmea e o macho mais fraco percebe logo a potência do outro e se curva, dá meia-volta, pede deculpas e vai curtir sua inferioridade a alguns metros de solidão dali.

O marido não se afastou. Ficou ali sentadíssimo, humilhadíssimo, mas com uma dignidade que só os justos da Bíblia têm.

Ele bem que olhou de soslaio para a cena em que o mulato sestroso exercitou sua sensualidade generosa sobre sua mulher. Mas não interferiu, teve a sabedoria de perceber que era mero coadjuvante.

A mulher, embora aflorasse sensualidade na direção do sedutor, sabia que o marido acompanhava o imprevisto movimento de sua alma, mas não o alardeava mais do que o necessário para si mesma e para o sedutor.

Foi tudo rápido, rapidíssimo. A mulher ainda acompanhou com os olhos o quase namorado, o futuro-possível-amante ideal descer do ônibus para a calçada. Já não era a mesma pessoa que quarteirões atrás subira na condução. O beijo gestual e imaginário do dom-juan cobriu-a de uma aura tal que ela se fez princesa. Abriram-se escaninhos em sua alma e ela levitava.

A filha, que não havia percebido nada, começa a fazer perguntas à mãe e ao pai. Ou será que ela percebeu que se criou um vácuo entre os dois, o qual instintivamente deveria preencher com um blá-blá-blá infantil para que o exílio do pai fosse menos sofrido e para que a mãe voltasse das alturas ao ordinário afeto da família?

Minha amiga se pôs a conjeturar como teria sido o resto do dia daquela mulher, como ela conviverá ou apagará esse instante de irradiação amorosa.

Pequenas seduções iluminam o cotidiano. E num ônibus qualquer, de repente, uma mulher qualquer pode tornar-se uma luminosa criatura.

QUE PRESENTE TE DAR

Que presente te darei, eu que tanto quero e pouco dou, porque mesquinho, egoísta, distraído não te cumulo daquilo que deveria cumular?

Deveria desatar inúmeros presentes ao pé da árvore, entreabrindo joias, tecidos, requintados e pessoais objetos, ou deveria dar-te não o que posso buscar lá fora, mas o que, em mim, está fechado e mal sei desembrulhar?

Gostaria de dar-te coisas naturais, feitas com a mão como fazem os camponeses, os artesãos, como faz a mulher que ama e prepara o Natal com seus dedos e receitas, adornos e atenções.

Te dar, talvez, um pedaço de praia primitiva, como aquelas do Nordeste, ou de antigamente – Búzios e Cabo Frio; um pedaço de mar das ilhas do Caribe, onde a água e o mar são transparentes e onde a areia é fina e brilhante e, sozinhos, habitam a eternidade, os amantes.

Te dar aquele verso de canção um dia ouvida não sei mais onde, se numa tarde de chuva, se entre os lençóis cansados; um verso, uma canção ou talvez o puro som de um saxofone ao fim do dia, som que tem qualquer coisa de promessa e melancolia.

Fugir uma tarde contigo para os motéis, quando todos os homens se perdem nos papéis e escritórios, números e tensões; fugir contigo para uma tarde assim, um espaço de amor entreaberto, um entreato na peça que nos prega a burocracia dos gestos.

Gravar numa fita as canções que me fazem lembrar de ti e ouvi-las, ou tocar de algum modo em algum cassete as frases que disseste, que em mim gravaste, frases líricas, precisas, que quando estou cinza, relembro e me iluminam.

Te enviar todos os cartões que colecionas, de todos os lugares que conheço ou que tu nem imaginas; ir a essas paisagens e ilhas e habitá-las com palavras de intermitente paixão.

Dar-te aquela casa de campo entre as montanhas, aquele amor entre a neblina, aquele espaço fora do mundo, fora dos outros espaços, sem telefone, sem estranhas ligações, para ali nos ligarmos um no outro em una e dupla solidão.

Se queres joias, te darei. Aqueles corais que vendem na Ponte Vecchia em Florença; o âmbar ou as pérolas que expõem nas lojas do Havaí; aquelas pedras de vidro para iridescentes colares, que vendem em Atenas, ao pé da Plaka, ao pé da Acrópole, que amorosa nos contempla.

Te dar numa viagem os castelos do Loire, e sair comendo e rindo juntos no roteiro gastronômico franco-italiano, ali comendo e aqueles vinhos bebendo, de tudo nos esquecendo, sobretudo dos remorsos tropicais de quem tem sempre ao lado um faminto desamparado, de culpa nos ferindo.

Te darei flores. Sempre planejei fazer isto. Tão simples: de manhã acordar displicente e começar a colher flores sob a cama. Ir tirando buquês de rosas, margaridas, vasos de íris, orquídeas que estão desabrochando e uma a uma, de flores ir te cumulando. E amanhecendo dirás: o amado hoje está mel puro, seu amor aflorou e está me perfumando.

Escrever bilhetes pela casa inteira, metê-los entre roupas, armários, prateleiras, para que na minha ausência comeces a descobrir recados daquele que nunca se ausentou, embora esse ar de quem vive partindo, mas se alguma vez partiu, partido foi para reunido regressar.

Te dar um gesto simples. Passar a mão de repente sobre tua mão, como se apalpa a vida ou fruto, que pede para ser colhido.

Te dar um olhar, não aquele olhar distraído, alienado de quem está nas coisas prosaicas perdido, mas um olhar de quem chegou inteiro e que se entrega enternecido e desamparado dizendo: olha, sou teu, agora veja lá o que vai fazer comigo.

O QUE QUEREM AS MULHERES?

Freud fez uma famosa indagação, que até hoje está lhe custando caro. Disse que depois de ter estudado tudo que podia sobre a mente humana, havia uma pergunta que não conseguia responder: "Afinal, o que querem as mulheres?".

Não só as feministas, mas até os homens sensatos acharam que o companheiro estava exagerando. E recentemente duas variantes de resposta a Freud surgiram. Uma foi o livro da americana Erica Jong, *O que as mulheres querem?* (Ed. Record), e agora mais recentemente esse filme com o Mel Gibson, *Do que as mulheres gostam.*

Mas existe uma outra resposta que me parece a melhor para a questão plantada por Freud. Trata-se de uma lenda que, a rigor, antecede ao lendário Freud, e fico pensando que se Freud a conhecesse talvez se poupasse de se expor daquela maneira.

Diz a estória que o Artur – aquele da Távola Redonda – quando era jovem, certo dia cometeu uma infração: foi caçar na floresta de outro rei e acabou sendo preso e levado à presença do outro monarca para ser punido.

Deveria ser condenado à morte. No entanto, o rei que o deteve resolveu dar-lhe uma chance. Pouparia sua vida se conseguisse, dentro de um ano, responder à pergunta pré/pós-freudiana: "O que querem as mulheres?".

Agradecido pela deferência, Artur saiu à cata da resposta. Perguntava daqui, perguntava dali, mas nem os religiosos, nem os médicos, nem os inveterados conquistadores de corações femininos conseguiam lhe responder com clareza. Estava já o prazo se exaurindo, quando lhe informaram que havia uma bruxa que sabia a resposta. Foi procurá-la. Era uma bruxa como têm que ser as bruxas nas lendas: velha, desdentada, falando impropérios. Artur, no entanto, fez-lhe a pergunta. Ela lhe disse que lhe daria a resposta caso ela pudesse se casar com o cavaleiro Gawain, que era o mais belo e valoroso dos companheiros de Artur. Este, perplexo, foi ao amigo e lhe expôs a patética situação. Amigo que é amigo, sobretudo nas lendas, não vacila. Faria tudo para salvar o companheiro de peripécias, até mesmo casar com uma bruxa.

Acertada a condição, então, a bruxa respondeu à pergunta fatal, dizendo: "Sabe o que realmente quer a mulher? Ela quer ser senhora de sua própria vida!". Artur e os demais, inclusive o rei que o havia condenado, ficaram todos atônitos, se dizendo como é que nós não pensamos nisso antes, a resposta é simples e genial. E Artur foi então perdoado.

Mas a estória continua, o casamento tinha que se realizar, pois Gawain não era de deixar mesmo uma bruxa na mão. No dia das bodas, foi um vexame. A bruxa emporcalhava a mesa, ria com seus dentes faltosos, enfim, um espavento. Mas a festa foi continuando, foi-se aproximando a hora da chamada união carnal no branco leito nupcial. Mas aí, aconteceu algo surpreendente. Estava Gawain já preparado para o cadafalso erótico, quando surgiu-lhe uma deslumbrante e virginal donzela à sua frente. E antes que sua perplexidade continuasse, a donzela disse que ela era a bruxa, ou melhor, uma das faces da bruxa. Estava mostrando a sua outra face, porque ele a tinha aceito como era; que de dia era a bruxa façonhenta, de noite, aquela ninfa loira. Mas antes que consumassem a chamada união carnal, Gawain poderia decidir com qual das duas queria viver o resto da vida. Ou a feia, que comprometeria sua imagem pública ou a perfeita, que ele, só ele, conhecia à noite.

Gawain então disse que deixava à escolha dela, o que ela queria realmente ser e parecer. A noiva neste momento metamorfoseou-se para sempre na bela mulher do cavaleiro que o acompanharia noite e dia, pois ele havia respeitado nela o que ela realmente era.

Essa estória me foi dada como estando no livro *Feminilidade perdida e reconquistada*, de Robert A. Johnson, livro que não encontrei. Perguntei a Antônio Furtado, que é o maior especialista brasileiro em Rei Artur, e ele disse que conhecia essa lenda.

Não tem importância. É a melhor resposta que encontrei à inquietação de Freud. Mas agora gostaria de cutucar a onça com vara curta e indagar pelo outro lado da questão: Afinal, o que querem os homens?

O HOMEM QUE CONHECEU O AMOR

Do alto de seus oitenta anos, me disse: "Na verdade, fui muito amado". E dizia isso com tal plenitude como quem dissesse: sempre me trouxeram flores, sempre comi ostras à beira-mar.

Não havia arrogância em sua frase, mas algo entre a humildade e a petulância sagrada. Parecia um pintor, que olhando o quadro terminado assina seu nome embaixo. Havia um certo fastio em suas palavras e gestos. Se retirava de um banquete satisfeito. Parecia pronto para morrer, já que sempre estivera pronto para amar.

Se eu fosse rei ou prefeito teria mandado erguer-lhe uma estátua. Mas, do jeito que falava, ele pedia apenas que no seu túmulo eu escrevesse: "Aqui jaz um homem que amou e foi amado". E aquele homem me confessou que amava sem nenhuma coerção. Não lhe encostei a faca no peito cobrando algo. Ele é que tinha algo a me oferecer. Foi muito diferente daqueles que não confessam seus sentimentos nem mesmo debaixo de um "pau de arara": estão ali se afogando de paixão, levando choques de amor, mas não se entregam. E, no entanto, basta ler-lhes a ficha que está tudo lá: traficante ou guerrilheiro do amor.

Uns dizem: casei várias vezes. Outros assinalam: fiz vários filhos. Outro dia li numa revista um conhecido ator dizendo: tive todas as mulheres que quis. Outros, ainda, dizem: não posso viver sem fulana (ou fulano). Na Bíblia está que Abraão gerou Isac, Isac gerou Jacó e Jacó gerou as doze tribos de Israel. Mas nenhum deles disse: "Na verdade, fui muito amado".

Mas quando do alto de seus oitenta anos aquele homem desfechou sobre mim aquela frase, me senti não apenas como o filho que quer ser engenheiro como o pai. Senti-me um garoto de quatro anos, de calças curtas, se dizendo: quando eu crescer quero ser um homem de oitenta anos que diga: "Amei muito, na verdade, fui muito amado". Se não pensasse isso, não seria digno daquela frase que acabava de me ser ofertada. E eu não poderia desperdiçar uma sabedoria que levou oitenta anos para se formar. É como se eu não visse o instante em que a lagarta se transformaria em libélula.

Ouvindo-o, por um instante, suspeitei que a psicanálise havia fracassado; que tudo aquilo que Freud sempre disse, de que o desejo nunca é preenchido, que se o é, o é por frações de segundos, e que a vida é insatisfação e procura, tudo isso era coisa passada. Sim, porque sobre o amor há muitas frases inquietantes por aí. Bilac nos dizia salomônico: "Eu tenho amado tanto e não conheço o amor". O Arnaldo Jabor disse outro dia a frase mais retumbante desde "Independência ou Morte" ao afirmar: "O amor deixa muito a desejar". Ataulfo Alves dizia: "Eu era feliz e não sabia".

Frase que se pode atualizar: eu era amado e não sabia. Porque nem todos sabem reconhecer quando são amados. Flores despencam em arco-íris sobre sua cama, um banquete real está sendo servido e, sonolento, olha noutra direção.

Sei que vocês vão me repreender dizendo: deveria ter-nos apresentado o personagem, também o queríamos conhecer, repartir tal acontecimento. E é justa a reprimenda. Porque quando alguém está amando, já nos contamina de jasmins. Temos vontade de dizer, vendo-o passar: ame por mim, já que não pode se deter para me amar a mim. Exatamente como se diz a alguém que está indo à Europa: por favor, na Itália, coma e beba por mim.

Ver uma pessoa amando é como ler um romance de amor. É como ver um filme de amor. Também se ama por contaminação na tela do instante. A estória é do outro, mas passa das páginas e telas para a gente.

Todo jardineiro é jardineiro porque não pode ser flor.

Reconhece-se a cinquenta metros um desamado, o carente. Mas reconhece-se a cem metros o bem-amado. Lá vem ele: sua luz nos chega antes de suas roupas e pele. Sinos batem nas dobras de seu ser. Pássaros pousam em seus ombros e frases. Flores estão colorindo o chão em que pisou.

O que ama é um disseminador.

Tocar nele é colher virtudes.

O bem-amado dá a impressão de inesgotável. E é o contrário de Átila: por onde passa renascem cidades.

O bem-amado é uma usina de luz. Tão necessário à comunidade, que deveria ser declarado um bem de utilidade pública.

COMO NAMORAM OS ANIMAIS

Namorar não é só uma coisa antiga na história humana, é também um ritual comum e diversificado entre os animais. Entre nós as coisas andaram mudando muito nesses vinte anos por causa da pílula. Mas entre os leões, patos e jacarés a cerimônia amorosa vem se repetindo sem transformações.

E o que encanta é ver como tanto entre os animais quanto entre os humanos o ritual é fundamental. Não há amor sem ritual. E cada amante, assim como cada espécie, tem lá seus trejeitos sedutores. O amor, tanto quanto a fome, humaniza os animais e zoomorfiza os homens. Não é à toa que Manuel Bandeira, naquele poema "Namorados", faz o rapaz dizer à moça: "Antônia, você parece uma lagarta listrada".

Os faisões, por exemplo, se entregam a uma curiosa coreografia. O macho começa a operação sedução limpando na floresta um espaço de três metros, varrendo-o de gravetos e pedras. Feito isso, abre suas plumagens radiosas e põe-se a cantar, lançando floresta adentro o seu convite amoroso. Às vezes uma fêmea aparece logo, outras, demora muito, mas ele fica ali, sonoramente esperando, até que ela surja. E mesmo depois que ela vem ainda tem que se desdobrar exibindo suas penas. Mas se o macho é preguiçoso e não limpa bem o terreno, a fêmea não aparece.

Já certo tipo de pombo começa seu aprendizado em grupo. Aí os machos ficam durante muito tempo competindo e se exibindo. Parecem guerreiros em preparação para as lutas amorosas. Depois de muitas disputas entre eles é que aparecem as pombas que se põem a escolher o amado. Ficam ali passeando diante deles como se estivessem passando em revista a tropa, até que assinalam sua escolha dando uma bicada no pescoço do ungido.

Mas é entre os corvos que acontece uma relação triangular cheia de dramas metafísicos e existencialistas. Porque se há carência de macho, as fêmeas ritualizam entre si o seu incontido amor. E se cortejam e se seduzem até que uma das fêmeas passa a exercer o papel masculino. E tanto é o amor, que a outra choca e bota ovos, que por serem estéreis não resultam. Mas não termina aí o romance. Se surge atrasadamente o macho e começa a namorar uma fêmea já em estado de acasalamento "homossexual", não conseguirá desligar as duas amadas. Terá que compor com elas um *menage à trois*, tendo que cuidar das duas ninhadas. E o mais estranho, como diz Hy Freedman no livro *Les fantaisies sexuelles des animaux et les nôtres...*, a fêmea dominante tenderá a dominar também o macho, que aceita seu papel subalterno.

Quem leu poemas simbolistas como aquele do Júlio Salusse descrevendo o cisne que morre de amor quando o parceiro desaparece, ficaria mais emocionado ainda com a vocação monogâmica dos gansos. Primeiro porque eles se elegem mesmo quando imaturos sexualmente. E por mais que os sogros do jovem ganso o espantem de sua casa, ele inventa modos de seduzir e até de presentear a amada. E quando se casam não há quem os possa separar, nem gostam de intrusos. Se sofrem uma separação, ao se reencontrarem fazem tal alarde com bicos e penas, com beijos e danças, que se vai pensar que se separaram durante meses, quando isso foi apenas por poucas horas. O ganso viúvo fica muito mal na hierarquia do grupo. Por isso, alguns se casam novamente. Mas como os gansos vivem numa sociedade complexa, depois de uma grande perda amorosa podem experimentar também uma relação triangular. E aí, pela reprodução sucessiva, sobem na hierarquia social.

O beija-flor faz toda sorte de balés para atrair a fêmea, a borboleta desprende um forte odor e algumas tartarugas preferem amar no fundo das águas. Contudo, o caranguejo é uma espécie de Nijinsky realizando *pas de deux* com sua Márcia Haydée. Quando está a fim de amar, muda de cor e convida a parceira para uma dança que exibe suas presas, dançando em todos os ritmos. Quando os bailarinos estão bem excitados se acariciam com as patinhas. O macho, então, faz sua casa cavando um buraco na areia. A fêmea segue atrás dele pelo túnel do amor. Parecem desaparecer. Mas, de repente, ele desponta carregando uma bola de barro com a qual fecha a porta de seu ninho de amor, como a dizer, "enfim sós".

AMOR, O INTERMINÁVEL APRENDIZADO

Criança, pensava: amor, coisa que os adultos sabem. Via-os aos pares namorando nos portões enluarados se entrebuscando numa aflição feliz de mãos na folhagem das anáguas. Via-os noivos se comprometendo à luz da sala ante a família, ante as mobílias; via-os casados, um ancorado no corpo do outro, e pensava: amor, coisa-para-depois, um depois-adulto-aprendizado.

Se enganava.

Se enganava porque o aprendizado do amor não tem começo nem é privilégio aos adultos reservado. Sim, o amor é um interminável aprendizado.

Por isso se enganava enquanto olhava com os colegas, de dentro dos arbustos do jardim, os casais que nos portões se amavam. Sim, se pesquisavam numa prospecção de veios e grutas, num desdobramento de noturnos mapas seguindo o astrolábio dos luares, mas nem por isto se encontravam. E quando algum amante desaparecia ou se afastava, não era porque estava saciado. Isso aprenderia depois. É que fora buscar outro amor, a busca recomeçara, pois a fome de amor não sacia nunca, como ali já não se saciara.

De fato, reparando nos vizinhos, podia observar. Mesmo os casados, atrás da aparente tranquilidade, continuavam inquietos. Alguns eram mais indiscretos. A vizinha casada deu para namorar. Aquele que era um crente fiel sempre na igreja, um dia jogou tudo para cima e amigou-se com uma jovem. E a mulher que morava em frente da farmácia, tão doméstica e feliz, de repente fugiu com um boêmio, largando marido e filhos.

Então, constatou, de novo se enganara. Os adultos, mesmo os casados, embora pareçam um porto onde as naus já atracaram, os adultos, mesmo os casados, que parecem arbustos cujas raízes já se entrançaram, eles também não sabem, estão no meio da viagem e só eles sabem quantas tempestades enfrentaram e quantas vezes naufragaram.

Depois de folhear um, dez, centenas dos corpos avulsos tentando o amor verbalizar, entrou numa biblioteca. Ali estavam as grandes paixões. Os poetas e novelistas deveriam saber das coisas. Julietas se debruçavam apunhaladas sobre o corpo morto dos Romeus, Tristãos e Isoldas tomavam o filtro do amor e ficavam condenados à traição daqueles que mais amavam e sem poderem realizar o amor.

O amor se procurava. E se encontrando, desesperava, se afastava, desencontrava.

Então, pensou: há o amor, há o desejo e há a paixão.

O desejo é assim: quer imediata e pronta realização. É indistinto. Por alguém que, de repente, se ilumina nas taças de uma festa, por alguém que de repente dobra a perna de uma maneira irresistivelmente feminina.

Já a paixão é outra coisa. O desejo não é nada pessoal. A paixão é um vendaval. Funde um no outro, é egoísta e, em muitos casos, fatal.

O amor soma desejo e paixão, é a arte das artes, é arte final.

Mas reparou: amor às vezes coincide com a paixão, às vezes não.

Amor às vezes coincide com o desejo, às vezes não.

Amor às vezes coincide com o casamento, às vezes não.

E mais complicado ainda: amor às vezes coincide com o amor, às vezes não.

Absurdo.

Como pode o amor não coincidir consigo mesmo?

Adolescente amava de um jeito. Adulto amava melhormente de outro. Quando viesse a velhice, como amaria finalmente? Há um amor dos vinte, um amor dos cinquenta e outro dos oitenta? Coisa de demente.

Não era só a estória e as estórias do seu amor. Na história universal do amor, amou-se sempre diferentemente, embora parecesse ser sempre o mesmo amor de antigamente.

Estava sempre perplexo. Olhava para os outros, olhava para si mesmo ensimesmado.

Não havia jeito. O amor era o mesmo e sempre diferenciado.

O amor se aprendia sempre, mas do amor não terminava nunca o aprendizado.

Optou por aceitar a sua ignorância.

Em matéria de amor, escolar, era um repetente conformado.

E na escola do amor declarou-se eternamente matriculado.

BELEZA, ARTE & ARTISTAS

ENCONTRO COM BANDEIRA

Eu tinha uns dezessete anos. E Manuel Bandeira era, então, considerado o maior poeta do país. E com dezessete anos é não só desculpável, mas aconselhável que as pessoas façam a catarse de seus sentimentos em forma de versos. Os reincidentes, é claro, continuam vida afora e podem pelos versos chegar à poesia.

Morando numa cidade do interior, eu olhava o Rio de Janeiro onde resplandecia a glória literária de alguns mitos daquela época. Então fiz como muito adolescente faz: juntei os meus versos, saí com eles debaixo do braço e fui mostrá-los a Bandeira e Drummond.

Toda vez que, hoje em dia, algum poeta iniciante me procura, me lembro do que se passou comigo em relação a Manuel Bandeira. Para alguns tenho narrado o fato como algo, talvez, pedagógico. Se todo autor quer ver sua obra lida e divulgada, o jovem tem uma ansiedade específica. Ele não dispõe de editoras e, ainda ninguém, precisa do aval do outro para se entender. E espera que o outro lhe abra o caminho e reconheça seu talento.

Ser jovem é muito dificultoso.

O fato foi que meu irmão Carlos, no Rio, conseguiu um encontro nosso com Bandeira. E um dia desembarco nesta cidade pela primeira vez, pela primeira vez vendo o mar, pela primeira vez cara a cara com os poetões da época.

Encurtarei a estória. De repente, estou subindo num elevador ali na Av. Beira-Mar, onde morava Bandeira. Eu havia trazido um livro com centenas de poemas, que um amigo encadernou. Naquela época escrevia muito, trezentos e tantos poemas por ano. E não entendia por que Bandeira ou Drummond levavam cinco anos para publicar um livrinho com quarenta e tantos poeminhas. A necessidade de escrever era tal, que dormia com papel e lápis ao lado da cama ou, às vezes, com a própria máquina de escrever. Assim, quando a poesia baixava nos lençóis adolescentes, bastava pôr os braços para fora e registrar. E assim podia dormir aliviado.

Mas o poeta havia pedido aos intermediários que eu fizesse uma seleção dos textos. O que era justo. E Bandeira tinha sempre uma exigência: o estreante deveria trazer algum poema com rima e métrica, um soneto por exemplo. Era uma maneira de ver se o candidato havia feito opção pelo verso livre por incompetência ou com conhecimento de causa.

Abriu-se a porta do apartamento. Eu nunca tinha estado em apartamento de escritor. A rigor não posso nem garantir se havia visto algum escritor de verdade assim tão perto. E não estava em condições emocionais de reparar em nada. Fingia uma tensa naturalidade mineira. O irmão mais velho ali ao lado para garantir.

A conversa foi curta. Tudo não deve ter passado de dez ou quinze minutos. Me lembro que Bandeira estava preparando um café ou chá e nos ofereceu. Havia uma outra pessoa, um vulto cinza por ali, com o qual conversava quando chegamos. Bandeira se levantava de vez em quando para pegar uma coisa ou outra. E tossia. Tossia, talvez já profissionalmente, como tuberculoso convicto.

Lá pelas tantas, ele disse: pode deixar aí os seus versos. Não precisa deixar todos, escolha os melhores. Vou ler. Se não forem bons, eu digo, hein?!

– Claro, é isso que eu quero – respondi juvenilmente, certo de que ia acabar gostando.

Voltei para Juiz de Fora. Acho que não esperava que o poeta respondesse. Um dia chega uma carta. Envelope fino, papel de seda, umas dez linhas. Começava assim: "Achei muito ruins os teus versos". A seguir citava uns três poemas melhores e os versos finais do "Poema aos poemas que ainda não foram escritos". Oh! Gratificação! Ele copiara com sua letra aqueles versos: "saber que os poemas que ainda não foram escritos/ virão como o parente longínquo,/ como a noite/ e como a morte".

Não fiquei triste nem chocado com sua crítica sincera. Olhei as bananeiras do quintal vizinho com um certo suspiro esperançoso. Levantei-me, saí andando pela casa com um ar de parvo feliz. Eu havia feito quatro versos que agradaram ao poeta grande.

A poesia, então, era possível.

RESISTIR ATRAVÉS DA BELEZA

Há uma hora em que você se diz: estou cansado, exausto dessas misérias e conflitos cotidianos, quero paz! Ou melhor, quero livrar-me disso tudo e dedicar-me à beleza. A vontade, então, é dizer: vou-me embora para Siena ou para Pasárgada, que lá não apenas sou amigo do rei, mas lá tem beleza à vontade para confortar nossos olhos.

Ficar em pura contemplação daqueles mestres renascentistas em Florença ou Veneza ou, então, internar-se na sala dos pintores impressionistas do Metropolitan de Nova York ou do Louvre. Ficar ali olhando aquele mundo de cores onde o drama humano se retempera na arte. Entendo o que Fernando Henrique deve ter sentido lá no Hermitage em São Petersburgo desfilando demoradamente diante daqueles quadros famosos. Recreie sua alma, presidente, armazene energia pelos museus do mundo, porque aqui a coisa continua feroz e suja.

Drummond dizia que queria fazer um soneto duro, mas tão duro que não desse prazer a ninguém. Era meio sistemático o poeta. Não sei que prazer ele ia sentir nisso. Quanto a mim, eu queria agora, neste momento, era fazer uma crônica que abrisse uma clareira de alegria na minha e na sua alma, em nossas alminhas tão maltratadas pela feiura moral e física do mundo.

Como está feio esse mundo ao nosso redor, especialmente nesta cidade que doloridamente amamos. Por isso, queria uma crônica que irrompesse luminosa, ainda que por dez minutos de leitura em sua vida. Dez minutos de beleza por dia já nos salvariam. Dizem os especialistas que o riso é necessário, que, se todos dessem pelo menos uma boa gargalhada por dia, teriam melhor saúde. Pois que tratem de medir o efeito da beleza sobre a saúde das pessoas.

Agora, por exemplo, interrompi a escrita desta crônica. Precisava me abastecer de beleza para poder ir enfrentando o horrendo, então procurei aquele concerto para violino de Mendelssohn, e me pus a ouvi-lo por alguns minutos. Se isso fosse pouco, ia me levantar e contemplar um inseto qualquer no jardim a alimentar-me da pequena beleza que habita na sua vida mínima.

Temos de nos expor à beleza, procurá-la, colocá-la em nossas vidas, porque eles estão querendo o contrário. Por exemplo, eles estão tentando borrar o nosso cotidiano. Começam com as notícias ao amanhecer e encerram com as notícias ao anoitecer. Uma tragédia atrás de outra, querendo nos sequestrar para o horror.

Se eu dissesse que o crepúsculo está coalhado de sangue, iam dizer que isso é uma banalidade, que só um mau escritor assim escreve. E, no entanto, o crepúsculo está coalhado de sangue. Não só o crepúsculo. Também a alvorada. Outro lugar-comum que Shakespeare e Lorca, para não falar em Paulo Mendes Campos e Vinicius de Moraes, revisitaram com força denunciadora.

Outro dia estava falando para os estudantes da Universidade do Vale do Itajaí. Queriam saber tudo. E a gente que não é mais jovem responde, não porque saiba, mas porque aprendeu a responder o irrespondível. E indagavam, por exemplo, sobre esse exercício de escrever crônicas para o jornal, queriam saber de onde vinha a poesia, como é que surge essa coisa chamada inspiração.

A crônica tem de ser achada no interior do cronista, dizia eu. Não adianta querer escrever sobre o que não se sente, desconversar, tapear. E certos temas se impõem. Eu, por exemplo, queria era compor aqui aquela crônica que fosse um rasgo de beleza nessa atmosfera de compacto medo em que vivemos.

Porque, como lhes disse, eles estão tentando borrar nosso cotidiano. Não bastassem a inveja, a traição, a maledicência que se infiltram nas conversas telefônicas, nos papéis do escritório e na mesa de trabalho, eles, os cavaleiros dos caos, estão jogando cadáveres nas portas das delegacias, que já constroem muros e guaritas para se defender como se fossem postos avançados no deserto à espera da invasão dos tártaros.

Estão tentando nos afastar da beleza e, para isso, nos assaltam nas esquinas, matam um de nós de quando em quando ao mesmo tempo que os presídios e reformatórios se incendeiam enlouquecidos. Enfeiam tudo, corrompem as urnas e os tribunais.

Estão querendo nos aprisionar na feiura e deixam ou estimulam que as favelas cresçam como chagas, como câncer sobre a pele da cidade e não sabem o que fazer com a mendicância exploratória que germina nos sinais de trânsito e nas esquinas.

Há que tornar o dia mais harmônico em meio ao caos. A começar pela própria roupa e a mesa de trabalho. Introduzir mais harmonia nos gestos, e, como um japonês com o seu *ikebana*, procurar a harmonia nas flores da sala, ritualizar até mesmo na maneira de dispor a comida no prato.

A beleza alimenta.

Há que buscar a beleza onde ela pode e deve estar, que a beleza talvez seja a última forma de resistência, quando os que deviam punir não punem, quando os que deviam governar não governam.

Além do mais, conviver com a beleza de ontem e hoje é não só uma maneira de limpar o cotidiano, mas uma forma de habitar a eternidade.

PERTO E LONGE DO POETA

Conheci Drummond aos dezessete anos, ali no seu gabinete no Ministério da Educação. Havia lhe enviado uma cartinha interiorana e alguns poemas, e agora subia o elevador para vê-lo de perto.

Naquele tempo, Manuel Bandeira é que era o mais celebrado poeta do país. Drummond mesmo o louvava em prosa e verso. E eu, achando-me destemido e justiceiro, na conversa comuniquei ao poeta que eu o achava melhor e mais importante que Bandeira. Era uma maneira adolescente e estouvada de declarar amor. Fui taxativo. E estava certo. Ele sorriu desconversando porque nunca soube o que fazer quando lhe mostravam o afeto à flor da pele.

Do que se falou ali durante uns quarenta minutos não me lembro muito. Estava tão encantado de poder ouvi-lo, que me lembro vagamente de algumas frases e sugestões. E o fato é que a partir daí julguei-me com permissão para incomodá-lo. Discretamente. De quando em quando. O mínimo possível. Praticando aquilo que ele recomendava – um distanciamento e uma proximidade relativos.

Isso explica uma cena quase absurda acontecida entre nós. Uma cena só justificável entre dois mineiros e entre um mestre e um discípulo, que tem também suas crises de timidez.

Uma outra feita, vinha eu de Minas. E lá ia em direção ao seu gabinete. Vir ao Rio e visitar certos escritores era um ritual. Um ritual que só pode fazer quem mora no interior, pois quem vive aqui não tem tempo para isso. Então, lá ia eu para o MEC. Desci ali no centro, caminhei sob as colunas do prédio de Niemeyer, passei pelos azulejos de Portinari e fui na direção do elevador.

Não havia ninguém na fila. Eu sozinho. Chegou o elevador, entrei.

Quando estou lá no fundo do elevador, vejo vir a figura do poeta. Também sozinho. Vem e entra naquela angustiante caixa de madeira. Mas ele vinha como sempre vinha: com os olhos no chão, cabisbaixo, meditativo, voltado para suas montanhas interiores. Vinha com o seu terno, seus óculos, sua gravata, sua mitologia, mas olhando para o chão.

E ali estamos os dois. Em silêncio total. Eu, um adolescente acuado num ângulo do elevador, como se ele – o poeta – fosse o domador. De sua parte, ele é que estava acuado no ângulo oposto; e olhando para o chão de si mesmo sabia que do outro lado havia uma presença humana qualquer.

E o elevador subia. Subia e nenhum dos dois denunciava a presença do outro.

Ele com o olho fixo no chão. E eu pensando: não me viu. Ou melhor (como mineiro, julgando): ele não me reconheceu, não quer me ver, meu Deus, que é que eu vim fazer aqui? O homem está ocupado e eu subindo para chateá-lo.

E o elevador subia. Não parava em nenhum andar. Não aparecia nenhum passageiro para nos socorrer. Se entrasse alguém talvez ele levantasse o olho do chão, quem sabe me reconheceria. Mas não entrava ninguém. E o elevador subindo.

A mim parecia que o prédio do MEC tinha ficado da altura do Empire State Building, em Nova York. Mas-eis-senão-quando a porta se abre e o elevador chega ao andar em que o poeta trabalhava.

Que fazer? Saio junto com ele? Vou andando por "acaso" no corredor e o encontro por "acaso"? Espero que ele chegue à sua sala e depois apareço lá como que por encanto "Oh, que surpresa! Há quanto tempo...".

Resultado: o elevador parou. O poeta saiu. Eu fiquei, fiquei com o elevador subindo outra vez até o fim, até onde pode subir uma pessoa confusa e equivocada. Subi e desci. Desci sem dirigir uma só palavra ao poeta que fora visitar. Tomei o ônibus para Minas sem falar com ele.

Aconteceu só essa vez? Não. Muitas outras. Uma vez ficamos vendo livros, uns quinze minutos, na vitrina da Leonardo da Vinci, sem nos olharmos e nos cumprimentarmos. A mesma síndrome. O mesmo respeito. E olha que nessa altura eu já era um homem viajado, já havia morado no exterior, visitado sua casa, levado para a minha o seu arquivo e escrito minha tese sobre ele.

Mas não tinha jeito. De repente, dava aquele respeito e não mexia um dedo. Ele construía uma tal atmosfera de individualidade, que às vezes era impenetrável. No entanto, outra vez nos encontramos na rua, e como eu vinha sofrendo como um cão danado do mal de amor, me fez enormes confidências sobre sua juventude amorosa... Outra vez apareceu em casa com um presente, me assustando e encantando a mim e a Marina.

Era um homem imprevisto. Respeitava e se fazia respeitar, até mesmo pelos seus poucos inimigos. Agora se foi. Ele que vivia com aquele ar de quem estava mal alojado e sempre se despedindo.

Na verdade, Drummond não morreu. Apenas nos deixou a sós com os seus textos. Textos com os quais temos uma intimidade total, que nada pode inibir.

DE QUE RI A MONA LISA?

Estou na Sala da Vinci, no Louvre. Aqui penetrei encaminhado por uma seta que dizia "Sala Da Vinci". É como se fosse uma indicação para uma grande avenida no trânsito de uma cidade. Não que a seta seja apelativa ou extraordinária. Mas reconheço que nela está escrito implicitamente algo mais. É como se sob aquelas letras estivesse escrito: "Preparem o seu coração para um encontro histórico com a *Gioconda* e seu indecifrável sorriso". E tanto é assim que as pessoas desembocam nessa sala e estacionam diante de um único quadro – o da Mona Lisa.

Do lado esquerdo da *Gioconda*, dezesseis quadros de renascentistas de primeiro time. Do lado direito, dez quadros de Rafael, Andrea del Sarto e outros. E na frente, mais dez Ticianos, além de Veroneses, Tintorettos e vários outros quadros do próprio Da Vinci.

Mas não adianta, ninguém os olha.

Estou fascinado com este ritual. E escandalizado com o que a informação dirigida faz com a gente. Agora, por exemplo, acabou de acorrer aos pés da Mona Lisa um grupo de japoneses: caladinhos, comportadinhos, agrupadinhos diante do quadro. A guia fala-fala-fala e eles tiram-tiram-tiram fotos num plic-plic-plic de câmeras sem flash. Sim, que é proibido foto com flash, conforme está desenhado num cartaz para qualquer um entender.

E lá se foram os japoneses. A guia os arrastou para fora da sala e não os deixou ver nenhum outro quadro. E, assim, pessoas vão chegando sem se dar conta de que sobre a porta de entrada há um gigantesco Veronese *Bodas de Canaã*. É singularíssimo, porque o veneziano misturou a festa de Canaã com a "última ceia". Cristo está lá no meio da mesa, num cenário greco-romano. O pintor colocou a escravaria no plano superior da tela e ali há uma festança com a presença até de animais.

Entrou agora na sala outro grupo. São espanhóis e italianos. "Veja só os olhos dela", diz um à sua esposa, exibindo o original senso crítico. "De qualquer lado que se olha, ela nos olha", diz outro parecendo ainda mais esperto. "Mas que sorriso", acrescenta outro ainda. E se vão.

Ao lado esquerdo de Mona Lisa reencontro-me com dois quadros de Da Vinci. Mas como as pessoas não foram treinadas para se extasiarem diante deles, são deixados inteiramente para mim. São *A Virgem dos Rochedos e São João Batista*. Este último me intriga particularmente. É que este são João assim andrógino tem uma graça especial, e mais: tem o rosto muito semelhante ao de santa Ana, do quadro *A Virgem e o Menino com Santa Ana*, no qual Freud andou vendo coisas tão fantásticas, que se não explicam o quadro pelo menos mostram como o psicanalista era imaginoso.

Chegou um bando de garotos ingleses-escoceses-irlandeses, vermelhinhos, agitadinhos, de uniforme. Também foram postos diante de Mona Lisa como diante do retrato de um ancestral importante. Só diante dela. O guia falava entusiasmado como se estivesse ante o quadro de uma batalha. E ele ali, talvez achando graça da situação.

Enquanto isso ocorre, estou enamorado da *La belle ferronnière* do próprio da Vinci, que embora possa ser a própria Mona Lisa de perfil, ninguém olha.

Chegou agora um grupo de jovens surdos-mudos holandeses. Postaram-se ali perplexos, o guia falou com as mãos e foram-se. Chegou um grupo de africanos. E repete-se o ritual. E ali na parede os vários Rafaéis, outros Da Vincis, do lado esquerdo os dezesseis renascentistas de primeira linha, do lado direito os dez quadros de Rafael, Andrea del Sarto e outros, e na frente mais dez Ticianos, além dos Veroneses, Tintorettos etc., que ninguém vê.

O ser humano é fascinante. E banal. Vêm para ver. Não veem nem o que veem, nem o que deviam ver. Entende-se. Aquele cordão de isolamento em torno de Mona Lisa aumenta a sua sacralidade. E tem um vigia especial. E um alarme especial contra roubo. Quem por ali passou defronte dela acionando a câmera, pode voltar para a Oceania, Osaka e Alasca com a noção de dever cumprido. Quando disserem que viram a Mona Lisa, serão mais respeitados pelos vizinhos.

Mal entra outro grupo de turistas para repetir o ritual, percebo que a Mona Lisa me olha por sobre o ombro de um deles e sorri realmente.

Agora sei de que ri Mona Lisa.

O SURGIMENTO DA BELEZA

O surgimento da beleza paralisa tudo.

A respiração se modifica, os olhos se completam numa outra luz e o corpo inteiro se alça da pequenez do instante.

E aquela mulher ali na praia, em pé dentro d'água, não pediu licença alguma, mas invadiu minha vida e a de quantos a contemplam em pura epifania e devoção.

Paro de caminhar. Sou um contemplador do instante. Todos nos concentramos naquelas formas onde a harmonia se condensou em pernas, braços e cabelos ao vento. A beleza tem isto: quando irrompe, alicia a todos. E ali estamos conferindo nos olhos uns dos outros a mesma admiração. Estamos todos coniventes diante da beleza que surgiu no mar.

Mas a beleza, quando surge, mais do que imprevista, é imperiosa e exige dedicação. Se aquela mulher virasse para o seu público e dissesse: "Matem-se por amor de mim!", todos nos atiraríamos na eternidade. Se dissesse: "Escalem o Himalaia!", subiríamos voando como querubins.

Por isso, é muito perigoso o encontro com a beleza. A alguns ela devora docemente. A outros ela desarma totalmente e petrifica. Ela não pede nada, e, no entanto, parece o tempo todo ordenar. Deve ser por isso que os gregos queriam vinculá-la à Verdade e ao Bem. A beleza perversa seria o nosso fim.

Olhei um girassol no meu terraço outro dia no exato momento de sua glória. O que ele me oferecia naquele instante era de uma eternidade penetrante. Examinei-lhe a geometria luminosa, que nenhum Vassarely jamais conseguiria reproduzir em seus painéis, apesar do computador. O girassol, tanto quanto eu, sabia que aquele era o seu instante de beleza aguda e se oferecia a mim extasiado em sua doçura, como só se extasia nele a perdida abelha.

Há dias que saio pelas ruas e festas faminto de beleza. Abro livros procurando certas passagens, leio poemas que sei de cor, de novo ouço uma flauta, um oboé, procuro aquele movimento de cordas de um determinado concerto. Eu sei onde encontrar a beleza. Vivo com ela. Tenho seu endereço secreto e a frequento amiúde na montanha ou beira-mar.

Um dia surpreendi-a numa pracinha medieval em Antibes, outro numa ruazinha barroca em Minas. Ela me foi servida em alguns museus, a reconheci em alguns objetos e se eu olhar bem firme nos olhos do semelhante, às vezes, a posso achar.

Aquela mulher ali na praia, por exemplo, não sabe que iluminou meu dia para sempre. Ao seu lado está sua amiga. Seu corpo é correto, sadio e humano. Mas não passa de uma sombra junto ao sol. Em vão agita os braços nas águas, fala alto. Não adianta. A bela mulher ao seu lado sequestrou para sempre a atenção de todos nós.

É assim com o bailarino ou bailarina que irrompe em pleno palco. À passagem de seu corpo, os outros se obscurecem consentidamente. Há um pacto entre o belo e o menos belo. Um pacto entre o ser e o contemplar.

Mas a beleza não é só mulher. Ela é andrógina. Se assim não fosse, como explicar que também os homens se extasiassem ante outros homens? E há homens tão potentemente belos que podem submeter exércitos só com o olhar.

Porém, se a beleza é assim tão urgente e relevante, por que nos aparece tão raramente? Se é assim tão necessária e pungente, por que é de natureza tão avara? Se dela carecemos tanto, por que nos deixa nesse exílio e incompletude?

A ausência da beleza é uma condenação. É um lapso. É a não história. Tudo que os homens fazem é por ela. Fazem excursões à Europa, vão à Grécia, constroem estradas, lançam passarelas entre as estrelas e inventaram a arte para apreendê-la. Tivéssemos que viver constantemente em contemplação do belo, no entanto, e ninguém trabalharia. Seríamos estátuas petrificadas na admiração. O mundo não careceria de mais nada. Viveríamos num orgasmo luminoso e contemplativo, e aqui se instalaria de vez a eternidade.

A ausência da beleza é quando o tempo se inaugura. E o tempo é falha e ruptura. A ausência de beleza é o erro, o pecado. A beleza é alegria e o avesso do que é triste.

A beleza é notícia de que Deus existe.

SURPRESAS COTIDIANAS

O QUE SE PERDE COM O TEMPO

Leio que aos 25 anos a pele começa a perder água. Aos 35 tem menos elasticidade e aos cinquenta está frouxa.

Leio e fico assustado.

Mas leio também que a partir dos trinta perdemos 50 mil células cerebrais por dia.

Fico assustadíssimo.

Não estou em condições de perder mais nada. Já perdi o bonde e a esperança de ter um país pronto onde viver. Querem agora levar minhas células cerebrais?

A tortura continua.

Leio que aos cinquenta o paladar já está meio degradado. Os receptores da língua já estão enfastiados e desperdiçam os sabores.

Mal me refaço dessa informação, vem outra: aos 45 o revestimento do estômago e intestino vai ressecando e a digestão se torna mais difícil.

Começo a fazer umas contas. Se perco, por exemplo, 50 mil células cerebrais por dia, em um mês seriam 1,5 milhão e em um ano, imaginem!

Constato que meu cérebro há muito se foi. Vivo apenas de lembranças. É claro que, depois de certa idade, a gente começa a esquecer nomes, sobrenomes, títulos de livros e filmes, e um amigo outro dia voltou para a casa de onde havia mudado há um ano, meteu a chave na porta naturalmente e foi entrando como se ainda morasse ali. Mas para essas coisas a gente arruma desculpa. O difícil é lidar com esses números que a ciência esfrega na nossa cara.

Outro dia num almoço uma amiga disse: "O pior são os braços. Os braços não mentem jamais. Por isso", disse ela, "agora só dou adeusinho com os dedos, o antebraço colado no corpo, senão o outro percebe logo a pelanca dependurada".

O pior de você continuar a ler que aos trinta as válvulas cardíacas tendem a enrijecer e os rins começam a entrar em pane é que jamais vai poder dizer que a vida começa aos quarenta. Na verdade, vai sair à procura de uma gerontóloga romena, que só ela pode nos salvar de nos desmancharmos em plena rua ou no meio de uma festa.

O pior desses dados é você ficar neurótico. Em meio a um coquetel, enquanto sustenta uma conversa desinteressada, você pensa: "Ai, meu Deus! Eu aqui perdendo minhas células e ainda tenho de perder tempo neste blá-blá-blá".

A sensação diante desses números é a mesma que temos no dia a dia da inflação: jamais nosso salário ganhará a batalha contra ela. A corrosão diária é evidente.

Na verdade, a sensação é a daquela cena de filme em que alguém começa a afundar em areia movediça. Horrível sensação. Parece também a situação de ser brasileiro, há dez anos afundando na recessão.

Será que tinham de informar isso à gente? Não bastam o espelho e os cabelos na pia?

Saber disso, no entanto, pode ter um sabor de vingança em relação aos inimigos. Aí você pode de repente dizer cientificamente na cara do outro: "Sabe que, enquanto estava tentando me sacanear ontem, você perdeu 50 mil células cerebrais e seu coração ficou mais rígido?".

Não nos haviam prometido na escola que na natureza nada se cria, nada se perde e que tudo se transforma? Em que se transformaram as células perdidas?

O pior desses dados é a sensação de que você está perdendo parte do espetáculo. Já nem falo de você enxergar mal uma ópera ou um filme, pois para isso existem óculos. Falo de outra coisa. Por exemplo, você está num restaurante caríssimo. Já pediu de entrada um *blinis de caviar* e, como prato principal, um *papillote de saumon frais aux morilles*. Se você tem mais de cinquenta anos deve pedir um desconto ao *maître*, porque os receptores de sua língua não vão poder haurir todo o preço que está pagando. Tem de ser igual filme para estudante, pagar só meia entrada.

Nas lojas de disco também há que pedir desconto, porque enquanto um jovem ouvirá naturalmente a música numa sonoridade de FM, você, com a estática e os ruídos da idade, vai ouvir em AM.

Há quem veja nessa atitude da natureza diminuindo audição, visão, tato, paladar etc. uma resposta muito sábia. Assim, os mais velhos se poupam da poluição sonora, visual e até dos maus cheiros da vida.

No entanto, o fato é que ninguém gosta de constatar que aos 65 anos, mesmo já tendo vivido uma longa vida de experiência, a força muscular perdeu 25% de sua potência, porque as fibras vão morrendo diária e inexoravelmente.

Há soluções para retardar essas perdas todas. Doses regulares de vitamina C, o ácido ascórbico, e ingestão de água. Isso além da ginástica e, é claro, da cirurgia plástica, que apenas retarda o estopim.

É duro. Mas a gente tem de se acostumar.

Eu, por exemplo, não queria dizer, mas desde que você começou a leitura desta crônica já perdeu quase mil células. E nem se deu conta.

Continue distraído. É melhor.

CULTURA DO ESPETÁCULO

Três milhões de pessoas nas areias das praias do Rio, durante o réveillon, não é um fato que possa passar em brancas nuvens, mesmo porque elas não estavam ali a ver navios, e sim celebrando a mais espetacular festa de fim de ano do mundo. Tanto assim, que o *Guinness*, aquele livro de recordes, já a registrou.

Amigas e amigos, prestem atenção: 3 milhões de pessoas é mais que a população do Uruguai. É quase a população da Dinamarca. Portanto, a gente não pode ler essa notícia e ir adiante como se nada tivesse ocorrido. Ocorreu mais uma grande manifestação simbólica do povo e as manifestações simbólicas merecem reverência e registro.

Sei que vocês estavam se esquecendo disso. O ano já recomeçou com suas rebeliões nos presídios, seus assassinatos aqui e ali, querendo nos iludir que aquele réveillon foi só fogos de artifícios.

Não foi. A culpa é da imprensa. A gente se acostuma e não valoriza as grandes e verdadeiras notícias. A imprensa é perversa. Um dia estampa uma notícia assim: o homem desembarca em Marte. E a gente ainda está com o pé no ocorrido e no dia seguinte outra dose: o homem desembarca em Júpiter. É difícil estar com um pé em Marte e outro em Júpiter ao mesmo tempo.

Vou repetir: foram 3 milhões de pessoas. E não foi só no Rio. A televisão mostrou: as praias brasileiras todas se inundaram de pessoas vestidas de branco.

Confesso que quando vi outras reportagens sobre o mesmo assunto no estrangeiro fiquei com pena. Aquele punhadinho de gatos pingados em Trafalgar Square, em Londres: aqueles outros tantos na Quinta Avenida, em Nova York e aqueles outros tiritando de frio no Champs Elysées tornavam ainda mais retumbante o que ocorreu no Rio.

Outro dia estava vendo um belo documentário sobre aquela soberba festa na Itália chamada de Paglio de Siena. É uma coloridíssima corrida de cavalos naquela estupenda praça medieval, todo mundo em trajes antigos, o grupo emblemático dos caracóis disputando o prêmio com o emblemático grupo das tartarugas, tudo muito lindo. Mas era uma miniatura. Na Itália, nem o Papa coloca 3 milhões de fiéis na praça de São Pedro. Aqui, Iemanjá faz isso só com sua graça silenciosa.

A primeira vez que nos Estados Unidos vi um desfile chamado Rose Parade quase chorei. De tristeza. Tinham me dito que ia haver uma grande parada no início do ano, com carros alegóricos, gente fantasiada etc. Era de chorar. Tudo arrumadinho, tristinho, chatinho. Como alegorias, uns balões de plástico flutuantes, imitando bichos e gigantes, umas balizas sem graça, o pessoal marchando sonolento e uma sonolenta plateia na calçada.

Outra vez fui surpreendido por uma parada dessas em Nova York. Sentei na calçada e chorei vinte minutos.

Não sabem. Não têm a vocação espetacular que nossa cultura, por exemplo, esbanja no Círio de Nazaré, em outubro, lá em Belém: mais de 1 milhão de pessoas desfilando desde a madrugada, o dia inteiro, com as mais criativas alegorias religiosas.

Nossa cultura é espetacular.

O Maracanã. Só a vocação espetacular de nossa cultura poderia explicar a existência desse estádio ao qual simbolicamente nos acostumamos, mas que na década de 1950, quando ficou pronto, já alardeava a cultura como espetáculo. Nelson

Rodrigues, estou convencido, se apaixonou pelo futebol e pelo estádio por questões puramente teatrais.

Futebol. Carnaval. Procissão. E agora o réveillon. Aliás, temos de inventar outra palavra para o que ocorre em nossas praias no fim de ano. Réveillon não diz nada. Lembra festa de fraque, cartola e champanhe. E além do mais tem o carnaval aquático de Angra dos Reis, onde os barcos é que aparecem fantasiados. É bom reativar a memória: foram 1.500 barcos, se não me falha a memória (e ela falha), isto é, várias vezes a invencível Armada espanhola que tentou aniquilar a Inglaterra.

Não é todo dia que se coalha o mar com tantas naus de insensatos.

Nossa cultura tem a vocação espetacular. Na política, também. Os melhores momentos, os mais definitivos foram grandiosos espetáculos: as Diretas Já e os caras-pintadas. Que vocação coreográfica tem o povo brasileiro! Aqui o corpo fala e fala coletivamente.

Kant não medraria aqui nos trópicos. O recolhimento, a introspecção são coisas melancolicamente europeias. Me lembra o amigo Tavares, que teve de passar uma temporada na Alemanha. Pois o que mais o chocou ali foi o silêncio. As portas e janelas fechadas, só de vez em quando um carro passando (silencioso) sobre o asfalto. Não havia alarido (a não ser nas cervejarias). Não havia latido de cachorro, vendedor com seus pregões, grito de criança, enfim, uma tristeza para a alma solar do cearense. Daí que o Tavares voltou correndo para o espetáculo ruidoso de Fortaleza.

Não tem jeito. O ser humano gosta é de espetáculo. Não viram lá em Roma? Os imperadores decretaram que a vida era pão e circo, os cristãos servindo de pão às feras no Coliseu. E as pessoas adoravam.

E os gregos? Vieram de onde senão da invenção do teatro através de Dioniso, o deus que tomava porres homéricos?

Aqui, desde o princípio, não foi diferente. D. João VI, quando desceu dos navios, perfilou a corte que fugia de Napoleão e aprontou um desfile que foi, na verdade, nossa primeira escola de samba. Mas, antes, os portugueses que aqui chegaram com Caminha mal desembarcaram foram logo montando aquele espetáculo – a Primeira Missa –, logo ali na areia. Os índios viram e adoraram. Daí a tempos vieram os negros e incrementam o ritual, e o Brasil deu no que deu: um país espetacular.

CORDEL DA MULHER GAIEIRA E DO SEU CABRA-
-MACHÃO

*Porque gado a gente mata,
tange, ferra, engorda e mata,
mas com gente é diferente.*
Vandré e Theo

Há notícias que se leem e parecem ficção. Achando que sua mulher o traía há um tempão, seu José Salustiano, plantador lá do sertão, depois de muito pensar, tomou uma decisão. Ia ensinar à mulher uma terrível lição, pra mostrar que cabra-macho não suporta traição. Mandou preparar um ferro, vermelho como um tição, com quatro letras gravadas na ponta do vermelhão. Na ponta do ferro havia quatro letras flamejando, letras de fogo e de fúria, queimando na escuridão. Só de ver aquelas letras – o MGSM – o rosto de dona Lúcia se retorce todo e treme, muito chora e toda geme e pede, com horror, perdão.

Mas José Salustiano não lhe prestou atenção. Botou-lhe a faca no ventre, ameaçando matá-la, caso gritasse pros lados e rogasse salvação. Seu José Salustiano havia tudo pensado. Mandou pra longe seus filhos, passou na porta cadeado. Depois, com muito cuidado, amarrou sua mulher na sua cama de casado. Pegou o ferro queimando, marcou-lhe as letras na testa, marcou-lhe do rosto os lados, enquanto Lúcia ia urrando com aquelas letras de dor: Mulher Gaieira Só Matando.

Como se vê, Salustiano, essa frase que inventou é verso de pé-quebrado. Não cabe bem no cordel, não cabe no coração, não cabe em nenhum papel, quanto mais no rosto sério da mulher com quem casou. Isso é coisa que se faça, meu caro Salustiano, sair marcando na cama a mulher com quem casou, como se fosse uma vaca, quando no fundo ela era, apenas, Maria Lúcia, mulher de cabra danado, mulher de trabalhador.

Meu caro Salustiano, você não só ferrou ela, você nessa se ferrou. Arregale seus ouvidos pras coisas que eu vou dizer. Eu não quero te espantar e nem menos convencer, quero apenas conversar, sem firulas de doutor, como um homem só conversa diante do próprio horror. Eu sei que é muito difícil, olhando a televisão, com tanta notícia fresca de violência de machão, fica difícil, eu dizia, governar sua emoção. Mas as coisas, seu José, já vão noutra direção. Mulher a gente não mata e nem dá mais bofetão, embora haja até ricos que caiam na tentação.

O que vai ser de Maria depois dessa danação? Ela foi ao delegado e fez a reclamação. O médico horrorizado, diz que é tão funda a inscrição, tão funda que até parece com cratera de vulcão. E acrescentou, todo pasmo, que não há cura possível nem se pode sobre o rosto colocar um remendão. E o pior é que Maria chora de noite e de dia, chora de dor no rosto e chora de humilhação. A vizinhança a incomoda, sua vida virou inferno, ela quer mudar pra longe, botar a cara no mundo, refazer nova habitação, embora seja difícil esquecer que seu marido marcou sua alma pra sempre e não há pele que possa refazer o coração.

Maria Lúcia, eu lhe digo: vai ser longa a expiação. Mas eu penso que as mulheres, que viram seu rosto inchado, exposto em fogo e paixão, nessa hora humilhadas, todas se deram a mão. Que seu rosto, minha cara, não é rosto nordestino sem história e tradição. A marca que você mostra é a violência de hoje e a violência de antão. Lembra aquelas mulheres, a quem lhes cortam o clitóris, quando nascem no Sudão. Lembra as mulheres chinesas que, no lugar de sapatos, usavam fôrmas nos pés, atadas por duros laços, pra que seus pés não crescessem e pra que andassem sempre atrás dos homens dez passos.

Mas você, Maria Lúcia, não pode ficar parada. Tem que seguir sua vida, mesmo estigmatizada. Ao se casar com José, tendo o nome de Maria, você achou sua cruz. Mas quem sabe se essas letras, na sua cara deixadas, são o princípio da fala, que você tinha guardada e que agora à luz do dia pode ser anunciada? Mas se é fraca a sua voz e não está preparada, as mulheres do país e os homens que perceberam que esse tipo de violência está mais que ultrapassado talvez a tomem por símbolo e no seu rosto se veja, em vez da mulher vencida, uma mulher cuja vida foi de novo inaugurada.

Maria Lúcia, eu lhe digo: em vez da noite e opressão, o vermelho no seu rosto tem a força da alvorada e pode ser o sinal de sua libertação.

MÔNICA, AQUELA QUE VAI MORRER

Quando Mônica saiu de casa naquele dia não sabia que ia morrer, jogada de cima de um prédio por um anormal que, paradoxalmente, era modelo fotográfico. O assassino, sim, este sabia que mais cedo ou mais tarde, se possível naquela noite, chegaria ao extremo de si mesmo. O assassino sabe. A vítima, como uma gazela solta na floresta, mal suspeita. Se, mesmo para o condenado à morte, a morte é uma hipótese, para uma adolescente condenada à vida a morte é um problema alheio.

Por isso, Mônica não sabe que vai morrer desesperada, acuada, livrando-se de socos e facadas. Também seus pais não sabem que poucas horas a separam da morte. Quando há anos trocavam suas fraldas ou penteavam seus cabelos, não viam nenhum sintoma. Por isso ela ia ao colégio de carro ou de ônibus e nenhuma professora olhando seu rosto viu a inscrição de que aquela era uma menina que ia ser assassinada. Acho que foi sempre assim. Mesmo em Auschwitz, embora já como estigma em suas roupas e corpos, os judeus ainda achavam que a morte seria adiada.

Portanto, era normal que seus colegas, que iam com ela à praia e com ela mergulhavam, bebiam refrigerante, comiam sanduíche natural ou se encontravam na pizzaria, também não desconfiassem que um dia ela subiria num certo edifício e de lá seria jogada para as manchetes dos jornais. Se alguém lhe fez uma tatuagem no corpo, no ombro ou na bundinha, não podia supor que estava já trazendo uma flor ao seu funeral ou que estava marcando um corpo, antecipando-se a marcas mais fatais.

O que já experimentou da vida essa menina que vai ser assassinada hoje à noite, sem que mesmo os vizinhos do criminoso queiram ver o sangue empoçado no *playground*? O que conhece ela já da covardia, medo e traição? Morrerá sem ter conhecido o mais denso e agudo prazer da carne, que só a maturidade traz, quando o amor é ao mesmo tempo lã e mel?

Como proteger quem vai ser assassinado esta noite se estamos tão desatentos contando juros e mal sentindo que milhares de células nossas acabam de morrer nesta fração de segundo? Os que assinaram um pacto com a vida continuam achando que a morte é um filme cuja exibição só interessa a quem não quer viver. Mas a morte vem às ruas, tira uma adolescente de casa, a faz subir num elevador e, de repente, a serve sem remorsos às notícias nos jornais de amanhã.

Não é só aqui. Também na China as mulheres caíam de cima das casas fugindo da violência do casamento e dos amantes intempestivos. Foi isso que levou Mao Tsé-tung em 1917 a escrever vários artigos denunciando a opressão masculina. Não é só na China. Há 25 anos, em Belo Horizonte, começaram a cair mulheres de cima de todos os prédios. Eu, jovem poeta, não entendendo aquela tempestade urbana de sangue, ia escrevendo:

Mulheres estão caindo
dos prédios mais elevados
com reincidência anormal.
Vocação rara e frustrada
para voo em vertical.
Despencadas, quase nuas
fruto verde, intemporal.
Pois não bastavam as maneiras
com que caíam na gente:
com amor, unhas e dentes,

caem agora em sangue quente.
As ruas estão vermelhas,
com as que mergulham do alto,
enormes sobre as marquises
e espedaçam-se no asfalto.
Já me falaram de três,
que eram puras ou que tal:
uma com os seios mordidos
e uma outra de avental.
A terceira exclamaram: virgem!
Quem não falou, pensou mal,
pois a menina ainda estava na roupa colegial.
Quero sair e não acho,
um guarda-chuva de aço,
que me proteja do sangue,
que pinga por onde passo.
Mulheres com a carne fresca
caindo por sobre nós,
enquanto lá em cima espreita
e confere a morte o algoz.
Mulheres sem paraquedas
fizeram o voo inaugural,
mas tanto pesavam as penas,
que o salto se fez mortal.

Pelo visto os poemas não diminuem os assassinatos. Sobretudo os maus poemas, como os meus. De Aída Curi, nos anos 50, Claudia Lessing, nos anos 70, ou Mônica, hoje, a situação não mudou. Acumulamos versos e tragédias nos livros e jornais, e neste momento mesmo, aqui ou em Cingapura, uma adolescente ou uma mulher casada começa a subir um prédio pensando que vai a uma festa. Desatentos, não a reconhecemos. Por nós também na rua passa o assassino. Ele tem olhos tão fraternais! Mas a sua face verdadeira só veremos amanhã, quando, estupefatos, abrirmos os jornais.

NÓS E AS PALAVRAS

O QUE UNS DIZEM DOS OUTROS

Uma vez li numa publicação estrangeira um artigo com este título: "Podem os escritores ser amigos?". O título me chamou a atenção, deixei para lê-lo depois, o tempo passou, perdi (naturalmente) o artigo, mas a pergunta me ficou.

Outro dia fui ver Walmor Chagas encenando no seu belo e audacioso Teatro Ziembinski a peça chamada *Prezado amigo*, em que o ponto de partida é justamente a amizade entre Mário de Andrade e Drummond. A peça é uma evidente resposta àquela pergunta mencionada. É bonito ver Mário falando da amizade e mais bonito ainda vê-lo se dividindo se multiplicando em milhares de cartas fraternas por todo o país. Ele parecia ser o amigo-pai-irmão que todo escritor gostaria de ter. Mesmo assim, imaginem, teve que enfrentar a maledicência de Oswald de Andrade. Essas coisas o feriam muito. Daí que escreveu um poema intitulado "Ponteando sobre o amigo ruim", que começa assim: "Enfim, a gente não é mais amigo um do outro não/ Você anda fácil, levianinho/ no labirinto das complicações".

No Brasil, a amizade de Otto-Fernando-Hélio-Paulo é uma lenda. E mais, um fenômeno raríssimo. Futuramente, estudiosos terão que pedir bolsas da Fulbright, Ford, Guggenheim e Smithsonian Institution para estudar cientificamente esse episódio.

Mas não é sobre amizades que escrevo aqui hoje. É sobre a inveja, a concorrência, o mal-entendido, a peçonha, a verrina que se semeiam entre os pares.

De uns tempos para cá passei a colecionar os absurdos que as pessoas dizem umas sobre as outras. Claro, sem nenhum método, mas com o necessário nojo e incômodo. E tremenda piedade por nós todos.

Vou logo dar um exemplo. Há cerca de um ano esteve entre nós o conhecido músico de vanguarda Karlheinz Stockhausen. E o que é que ele disse sobre seus pares? Horrores, meus irmãos, horrores. Shakespeare diria: "E, no entanto, Brutus é um homem honrado". Sim, no entanto, Stockhausen é um grande artista.

Perguntaram-lhe, por exemplo, sobre Herbert von Karajan. Ora, qualquer maestro jovem (ou não) que seja comparado a Karajan entra em órbita de tanta felicidade. Pois Stockhausen disse que Karajan pertence ao grupo dos "regentes que não tocam música contemporânea e são produtos de uma era decadente, explorando os instintos conservadores da sociedade para ficarem milionários".

E, no entanto, Karajan e Stockhausen são grandes artistas.

E John Cage? Aquele músico de vanguarda americano que todos veneram? O que diz dele o alemão? Isto: "John Cage na verdade não é músico. É um artista gráfico muito talentoso, para escrever partituras, só isso". E Lorin Maazel, que arrebata plateias e orquestras em todo o mundo? Para Stockhausen não passa de um músico populista... E até mesmo sobre Phillip Glass, de vanguarda como Stockhausen, que volta e meia vem ao Brasil, ele disse: "O sucesso nos Estados Unidos dessa música incrivelmente banal só pode ser creditado ao modismo".

Conheço muitos escritores que já tiveram vontade de publicar na orelha de seus livros as opiniões negativas sobre eles, para deixarem mal os críticos. Alguns até o fizeram.

Às vezes, as pessoas podem se equivocar. Gide se equivocou recusando Proust para ser editado. Já Machado de Assis, quando escreveu sobre *O primo Basílio* de Eça de Queirós, não só errou, mas estava com evidente má vontade.

Por que certos artistas (grandes artistas), já que são grandes, não conseguem ser grandes nos seus julgamentos? De onde vem tamanha dificuldade em conviver com o sucesso e o talento alheios? De onde é que vem a crença de que alguém só pode subir pisando na cabeça do outro?

Por que acham que não existe lugar para todos, e que uns devem e podem entrar na história e outros não? E que "história" é essa?

Outro dia esteve aqui no Brasil um grande escritor alemão – Heiner Müller. Mas vejam só o que disse de Bertold Brecht: "Brecht sempre foi um mero observador da luta de classe". E sobre Thomas Mann sentenciou: "É ilegível em alemão, descreve o século XIX. Ele é bom para gente do Texas, que compra antiguidades na Europa".

E, no entanto, como diria Shakespeare, Heiner Müller é um homem honrado.

Há escritores como José Guilherme Merquior que não permitem que o agridam. Dá o troco imediatamente. Mas já confessou que isso é exaustivo. Já outros, como o Rubem Fonseca, ficam na moita, no silêncio.

O público pensa que os artistas são pessoas melhores e superiores. Nem sempre. Vejam o que Flaubert disse sobre Balzac: "Que homem teria sido Balzac se soubesse escrever!".

Onde encontrei isso? No *Dicionário da besteira e dos erros de julgamento*, ao qual me referirei na próxima crônica, para escândalo das almas que como eu um dia já foram cândidas.

LIMPAR AS PALAVRAS

Uma vez ouvi na televisão um político americano dizer: "É preciso limpar as palavras". Se bem me lembro, ele falava a respeito de um escândalo que havia ferido injustamente a reputação de alguém. Era como se assinalasse que tínhamos que ter mais cuidado na escolha dos termos que utilizamos. Mas chamou-me a atenção que ele se referisse às palavras como objetos que podem estar mais ou menos limpos.

Tal afirmativa na boca de um escritor seria natural. Mas dita por um político soou como algo raro. Claro que, sendo ele um político americano, há uma explicação para isso. A cultura daquele país tem um substrato calvinista, e um dos itens da ética protestante é o confronto entre o limpo e o sujo, o puro e o impuro.

Anotei a expressão "limpar as palavras". Gostei da frase e da intenção. Imediatamente pensei: assim como aqui e ali a gente encontra escrito "Consertam-se geladeiras", pensei numa oficina que teria escrito na entrada "Limpam-se palavras".

Assim como a gente manda uma roupa para a tinturaria, é preciso mandar limpar as palavras. Como se faz uma faxina na casa, pode-se faxinar o texto. Há até especialistas nisto: o revisor, o copidesque, o redator. Eles pegam o texto alheio e começam a cortar aqui e ali as gorduras, os excessos, as impurezas gramaticais. Também os professores, os linguistas, os filólogos podem entrar nessa categoria, a exemplo dos dicionaristas.

Então, um garoto pergunta ao outro: "Meu pai é médico, e o seu?" O outro pode dizer: "Meu pai limpa palavras". É um gari de frases.

Mas como se limpa a palavra? Com vassoura, creolina, Ajax e Omo?

Só uma palavra pode limpar outra, como só uma palavra pode sujar outra palavra ou uma vida inteira.

Cada um tem lá sua técnica para limpar as palavras. Lembro uma conhecida que sugeria que para botar um jeans bem limpo na máquina de lavar roupas era necessário jogar lá dentro também um par de tênis. A máquina começava a girar-girar e o tênis batendo-batendo na roupa, e ela saía limpa e macia. No fundo, era um pouco a imitação tecnológica do que as lavadeiras sempre fizeram na beira dos rios, batendo as roupas na pedra. Cada escritor coloca dentro de sua máquina de escrever um tênis diferente para clarear a escrita. São matreirices, espertezas como as da cozinheira que sabe como dar este ou aquele sabor à comida.

Poderia um escritor dizer para o outro: "Por que a sua palavra é mais limpa que a minha?". Por que em Machado de Assis e Euclides da Cunha, Guimarães Rosa e Clarice Lispector as palavras são mais rutilantes que nos demais?

O bate-enxuga das palavras. O publicitário também sabe o que é isso, o que é sacar a frase de efeito, revirar o texto para que ele tenha a força do *slogan*, do provérbio, do axioma. Os homens que tratam das leis também pensam nisso. Ficam ali burilando os termos para evitar ambiguidades e subterfúgios. Às vezes conseguem, às vezes não. A lei deveria ser limpa, transparente. Às vezes é, às vezes não.

Lembro o deslumbramento com que, aí pelos quinze anos, li um livro de Antoine Albalat – *A arte de escrever ensinada em vinte lições*. Foi uma revelação saber que alguém podia pegar um texto e reduzi-lo à metade, melhorando a informação. Tomava ele um texto e exibia como ali havia excesso de adjetivos ou do pronome "que", e, no final, convencia de que a economia verbal era o menor caminho entre o autor e o leitor.

Nessa questão de limpeza textual há sempre uma vítima: o adjetivo. Devo admitir que, embora o adjetivo seja em geral um problema, há muita injustiça a seu respeito. Os radicais querem expulsá-lo das frases, como se fosse uma praga. Até Machado de Assis incorreu nesse exagero. Um dia até farei uma crônica sobre isso para mostrar como Machado, que condenou o adjetivo aqui e ali, o usou abundante e adjetivamente.

Nestes dias os jornais estão trazendo para o Brasil uma questão que surgiu nos Estados Unidos: o que é "politicamente correto" e o que é "politicamente incorreto". A questão, além de política e ideológica, é essencialmente semântica. Ou seja, as pessoas estão tomando mais cuidado não só com a comida que consomem, mas com as palavras que usam, a tal ponto que está havendo até um policiamento da linguagem.

Limpar as palavras. Mas há palavra pura? Há algum tempo houve um movimento chamado "poesia pura", "arte pura". Existe alguma coisa pura? Há dúvidas. Alguns teólogos medievais sustentavam que, já que Deus era tudo, o próprio diabo fazia parte de Deus.

Mas quem limpa as palavras se parece com o diamantário. Ou, então, com o enólogo, que experimenta o vinho fazendo-o circular pela boca, sob e sobre a língua, degustando-o. É o caso do orador, que é um escritor oral. Nele a palavra é a voz enamorada de si mesma. Ele não fala com o público, fala com as palavras, para as palavras.

Antigamente costumava-se dizer que certas expressões eram sujas, certas expressões, imundas. Dizia-se: "Esse menino tem a boca suja". E havia quem passasse pimenta e sal na boca do filho que falasse nomes feios. Mas tudo isso pulou para a literatura, para a conversa de salão, para a televisão.

Hoje, que a ecologia está na moda, condena-se a poluição.

A despoluição da realidade começa pela despoluição do discurso.

TEMPO DE DELICADEZA

Sei que as pessoas estão pulando na jugular umas das outras.
Sei que viver está cada vez mais dificultoso.

Mas talvez por isso mesmo ou, talvez, devido a esse maio azulzinho, a esse outono fora e dentro de mim, o fato é que o tema da delicadeza começou a se infiltrar, digamos, delicadamente nesta crônica, varando os tiroteios, os sequestros, as palavras ásperas e os gestos grosseiros que ocorrem nas esquinas da televisão e do cinema com a vida.

Talvez devesse lançar um manifesto pela delicadeza. Drummond dizia: "Sejamos pornográficos, docemente pornográficos". Parece que aceitaram exageradamente seu convite, e a coisa acabou em "grosseiramente pornográficos". Por isso, é necessário reverter poeticamente a situação e com Vinicius de Moraes ou Rubem Braga dizer em tom de elegia ipanemense:

Meus amigos, meus irmãos, sejamos delicados, urgentemente delicados.

Com a delicadeza de são Francisco, se pudermos.

Com a delicadeza rija de Gandhi, se quisermos.

Já a delicadeza guerrilheira de Guevara era, convenhamos, discutível. Mas mesmo ele, que andou fuzilando pessoas por aí, também andou dizendo: "Endurecer, sem jamais perder a ternura".

Essa é a contradição do ser humano. Vejam o nosso sedutor e exemplar Vinicius, que há vinte anos nos deixou, delicadamente.

Era um profissional da delicadeza. Naquela sua pungente "Elegia ao primeiro amigo" nos dizia:

Mato com delicadeza. Faço chorar delicadamente
E me deleito. Inventei o carinho dos pés; minha palma

Áspera de menino de ilha pousa com delicadeza sobre um corpo de adúltera.

Na verdade, sou um homem de muitas mulheres, e com todas delicado e atento

Se me entediam, abandono-as delicadamente, despreendendo-me delas com uma doçura de água

Se as quero, sou delicadíssimo; tudo em mim

Desprende esse fluido que as envolve de maneira irremissível

Sou um meigo energúmeno. Até hoje só bati numa mulher

Mas com singular delicadeza. Não sou bom

Nem mau: sou delicado. Preciso ser delicado

Porque dentro de mim mora um ser feroz e fraticida

Como um lobo.

Está aí: porque somos ferozes precisamos ser delicados. Os que não puderem ser puramente delicados, que o sejam ferozmente delicados.

Houve um tempo em que se era delicado. E houve um tempo em que, citando poetas, até se citava Rimbaud. Esse Rimbaud que Paulo Hecker Filho acabou de retraduzir no livro *Só poema bom* e o Leandro Konder reinventou numa moderna trama policial em *A morte de Rimbaud*.

Pois aquele Rimbaud, que aos dezessete anos já tinha feito sua obra poética, é quem disse um dia: "Por delicadeza, eu perdi minha vida".

Intrigante isso.

Há pessoas que perdem lugar na fila, por delicadeza. Outras, até o emprego. Há as que perdem o amor por amorosa delicadeza. Sim, há casos de pessoas que até perderam a vida, por pura delicadeza. Não é certamente o caso de Rimbaud, que se meteu em crimes e contrabandos na África. O que ele perdeu foi a poesia. E isso é igualmente grave.

Confesso que buscando programas de televisão para escapar da opressão cotidiana, volta e meia acabo dando em filmes ingleses do século passado. Mais que as verdes paisagens, que o elegante guarda-roupa, fico ali é escutando palavras educadíssimas e gestos elegantemente nobres. Não é que entre as personagens não haja as pérfidas, as perversas. Mas os ingleses têm uma maneira tão suave, tão fina de serem cruéis, que parece um privilégio sofrer nas mãos deles.

Tudo é questão de estilo.

Aquele detestável Bukovski, sendo abominável, no entanto, num poema delicado dizia que gostava dos gatos, porque os gatos tinham estilo. É isso. É necessário, com certa presteza, recuperar o estilo felino da delicadeza.

A delicadeza não é só uma categoria ética. Alguém deveria lançar um manifesto apregoando que a delicadeza é uma categoria estética.

Ah, quem nos dera a delicadeza pueril de algumas árias de Mozart. A delicadeza luminosa dos quadros dos pintores flamengos, de um Vermeer, por exemplo. A delicadeza repousante das garrafas nas naturezas mortas de Morandi. Na verdade, carecemos da delicadeza dos adágios.

Vivemos numa época em que nos filmes americanos os amantes se amam violentamente, e em vez de sussurrarem "I love you" arremetem um virótico "Fuck you".

Sei que alguém vai dizer que com delicadeza não se tira um MST – com sua foice e fúria – dos prédios ocupados. Mas quem poderá negar que o poder tem sido igualmente indelicado com os pobres deste país há quinhentos anos?

Penso nos grandes delicados da história. Deveriam começar a fazer filmes, encenar peças sobre os memoráveis delicados. Vejam o Marechal Rondon. Militar e, no entanto, como se fora um místico oriental, cunhou aquela expressão que pautou o seu contato com os índios brasileiros: "Morrer se preciso for, matar nunca".

A historiadora Denise Bernuzzi de Sant'Anna anda fazendo entre nós o elogio da lentidão, denunciando a ferocidade da cultura da velocidade. É bom pensar nisso. Pela pressa de viver as pessoas estão esquecendo de viver. Estão todos apressadíssimos indo a lugar nenhum.

Curioso. A delicadeza tem a ver com a lentidão. A violência tem a ver com a velocidade. E outro dia topei com um livro, *A descoberta da lentidão*, no qual Sten Nadolny faz a biografia do navegador John Franklin, que vivia pesquisando o Polo Norte. Era lento em aprender as coisas na escola, mas quando aprendia algo o fazia com mais profundidade que os demais.

Sei que vão dizer: "A burocracia, o trânsito, os salários, a polícia, as injustiças, a corrupção e o governo não nos deixam ser delicados".

– E eu não sei?

Mas de novo vos digo: sejamos delicados. E, se necessário for, cruelmente delicados.

COISAS DE DEUS E AS DO DIABO

DEUS PASSOU POR ALI

– Por que há certas frases que se cravam em nós como espinho ou flor?

Vou lendo um artigo de Umberto Eco sobre o mundo virtual quando, de repente, uma frase me sacode.

Há certas frases que fazem com a gente o que certos aviões fazem com nosso corpo, quando o voo parece tranquilo, súbito, um solavanco, como se tivéssemos caído no vácuo.

No vácuo de nós mesmos.

A tal frase nem é do Eco, ele apenas a ecoou. É de Victor Hugo. E eu que já li *Os miseráveis* em livro e em quadrinhos, jamais me lembraria dela. É que certas frases só são lidas efetivamente quando, por misteriosas razões, carecemos delas. Por isso, é que se diz que a gente deve reler certos autores de dez em dez anos, pois a cada volta do eterno retorno, certas frases vêm à tona, não se sabe se do texto mesmo ou do palimpsesto que somos.

Em *Os miseráveis* Victor Hugo descreve e comenta a derrota de Napoleão em Waterloo. Num certo ponto diz: "Semelhante derrota, que assombrou a História inteiramente, carece de causa? Não... Alguém, a quem ninguém pode opor-se, cuidou para que isso acontecesse. Deus passou por ali".

Eis a frase que me perturbou: "Deus passou por ali".

– Teria sido a sensação visual de Deus perpassando o campo de batalha com cadáveres destroçados e armas abandonadas?

– Teria sido a afirmativa de que o Destino justiçou finalmente o imperador que flagelava toda a Europa, como um novo Átila?

– Ou seria, tecnicamente, tão somente a secura da frase, curta, imprevista, afirmativa, intrigante, definitiva? "Deus passou por ali".

Parece título de livro. De *best-seller*. De um grande romance histórico. Um título à espera do livro. Um livro que temos dentro de nós. Ou que poderemos escrever para dentro. Silenciosos.

Continuando a examinar o que teria deslanchado um terremoto em meus sentimentos, fui revirando no meu espírito os vários ecos da frase. Se Deus é tudo e está em tudo, e se, além do mais, ele é onipresente, como sentenciar que houve um certo momento em que "Deus passou por ali"?

Aquela afirmativa secciona o tempo e a eternidade.

E começo a pensar que se Deus passou por ali num determinado momento, é sinal que em outros momentos ele não passou por ali.

Creio que foi dessas elipses e dobras do pensamento que me veio a perplexidade, porque instintivamente saí da batalha de Waterloo e comecei a imaginar, a sondar onde Deus tem passado, ou não, ultimamente.

Enquanto pensava nessa crônica por elaborar, deitado numa rede sob uma trepadeira de jasmim, vi uma pequena aranha. Pequeníssima. De uns cinco milímetros. Ela precipitava-se no espaço suspensa apenas pelo fio que ela própria tecia. Balançava no ar presa apenas a esse fiozinho quase invisível, como o cronista ao invisível fio que conduz suas palavras sobre o abismo da escrita.

De repente, ela descobre o tecido da rede e sobe caminhando na direção das folhagens.

Olhei sua mínima trajetória.

Deus passou por ali.

Mas os jornais que tinha lido pela manhã descreviam tiroteios e mortes entre gangues de narcotraficantes nas favelas.

Deus não passou por ali.

Diz a tradição que é mais fácil encontrar Deus nas montanhas. Vejam o que Moisés trouxe de lá. Mas há quem o tenha encontrado no fundo do mar. E, há dias, aos 98, morreu Théodore Monod, um naturalista que vivia vasculhando o deserto, porque estava certo de que Deus passou por ali.

Afirmava: "A voz de Deus pode ser mais nítida no Saara ou sob o vulcão como o Emi Koussi, no Tibete".

Mas de que diabo de Deus estou falando?, pode indagar um impaciente leitor. A tradição disseminou uma certa ideia de Deus. Por exemplo, um menino colombiano de cinco anos, lá em Medellín, onde dizem que Deus não passa há muito tempo, disse: "Deus é o amor com cabelo comprido e poderes". Outra menina colombiana da mesma idade e vivendo a mesma tragédia que outras meninas brasileiras, completou: "Deus é uma pessoa em que cravam cravos. É jovem".

O sábio Lineu, depois de pesquisar a origem de milhares de espécies, teve a sensação de ter percebido o rastro de Deus. Mas confessou que era apenas um vulto que ia se distanciando, de costas para ele.

Estou convencido de que Deus passava sempre por ali, quando Mozart compunha algo. E ontem ouvi, de Haendel, um concerto para harpa e orquestra e senti, e vi, claramente, que Deus não apenas passou, mas instalou-se por ali naquelas cordas enquanto a música soava.

Às vezes, basta olhar o corpo amado para perceber que Deus não passou, mas instalou-se ali.

Se insistirem em perguntar que Deus é esse, terei que responder: "Olhem aqueles cavalos pintados por Paolo Uccello e as madonas de Da Vinci".

Olhem também as tormentosamente telas de Van Gogh. Deus, como em Waterloo, às vezes surge em meio, ou depois do horror.

Deus é quando o demônio restringe-se ao seu lugar.

– Devo ser mais explícito?

Onde houve Inquisição, Deus não passou por ali.

Onde houve escravidão, Deus não passou por ali.

Onde houve tortura, Deus não passou por ali.

Onde houve roubo, extorsão, calúnia, usura, Deus não passou por ali.

Há muito Deus não passa pela Faixa de Gaza.

Há muito afastou-se de Jerusalém.

Neste Natal, seguramente, não pousará em Nazaré e Belém.

COMO DEUS FALA AOS HOMENS

Houve um tempo em que Deus falou em hebraico.
Houve um tempo em que Deus falou em grego.
Depois começou a falar em latim.
E a partir daí falou em muitas línguas, aliás, até mesmo em dialetos.
Atualmente há quem garanta que ele fala em inglês.
Em português, Deus começou a falar em 1719, quando João Ferreira de Almeida traduziu o Novo Testamento.
Agora acabo de receber uma nova versão das palavras de Deus: *Bíblia Sagrada* – nova tradução na linguagem de hoje, elaborada pela Sociedade Bíblica do Brasil. Foram doze anos de trabalho de uma equipe de especialistas coordenados por Rudi Zimmer, pastor luterano, especialista em hebraico e aramaico, professor de grego, latim, hebraico, teologia e história das religiões.
A NTLH, ou seja, a "Nova Tradução na Linguagem de Hoje", segundo o chefe da equipe, procurou simplificar o vocabulário e atualizar certas expressões. Assim, enquanto a clássica tradução de Almeida tinha 8,38 mil palavras diferentes, essa NTLH tem 4,39 mil, aproximando o texto do vocabulário de um brasileiro de cultura média. Desse modo, foram afastadas do texto expressões como "cingindo os vossos lombos", "recalcitrar contra os aguilhões" etc.
Eu pessoalmente senti aí falta da palavra "estultícia". Meu pai citando Provérbios 22, 15 vivia nos advertindo que só a vara de marmelo tira a estultícia do menino. No entanto, na versão nova em vez de "estultícia" aparece "tolices". Ora, cometer uma "estultícia" era mais relevante, parecia que estava realmente

infringindo uma regra e merecendo punição, pois "tolice" qualquer criança faz.

Quando menino e jovem fui um contumaz leitor da Bíblia. Cada um dos cinco irmãos tinha sua Bíblia. A mãe tinha sua Bíblia. O pai abria sua imensa Bíblia e lia imensos salmos na hora das refeições. Ele tinha também uma Bíblia em esperanto e achava que essa era a língua capaz de resolver a questão da babel linguística e moral da humanidade.

Na modesta igreja metodista de são Mateus, lá em Juiz de Fora, fazia-se "concurso bíblico". Crentes, de todas as idades, iam para o palco e, como nesses programas de desafio cultural na televisão, alguém lançava no ar o desafio. Dizia o nome de um livro da Bíblia, de um capítulo e de um versículo e tínhamos que recitar seu conteúdo. Por exemplo, se alguém dissesse: "Provérbios, capítulo 18, versículo 16", a gente imediatamente retrucava:

"O presente que o homem faz alarga-lhe o caminho e leva-o perante os grandes".

Mas de acordo com a nova versão, onde se lia aquela frase, está agora uma outra parecida:

"Você vai falar com alguém importante? Leve um presente, e será fácil."

Como se vê, a versão atual ganhou em clareza. Fazer *lobby* é coisa antiga. Não podia ser mais direto, só faltou dizer de quanto deve ser a comissão.

No entanto, se nesse certame bíblico, alguém me desafiasse dizendo: "Provérbios, 23, 1", a atual versão me faria dizer:

"Quando você for jantar com alguém importante, não se esqueça de quem ele é."

Mas prefiro a versão antiga, sobretudo mais precisa no estado em que vivemos:

"Quando te assentares a comer com um governador atenta bem para aquele que está diante de ti."

Curiosamente, neste fim de semana li notícia de que a letra do "Hino Nacional Brasileiro" também já foi mexida atendendo ao desejo de simplificação. À época da ditadura de Vargas chamaram Manuel Bandeira para atualizar a letra original. Reconheça-se que não dava para mexer muito, porque esse hino sem os enigmáticos "lábaro que ostentas estrelado" e o "verde-louro dessa flâmula" já não seria o mesmo.

Na atual versão da Bíblia os tradutores alteraram até a forma como o nome de Deus aparece no Antigo Testamento. E onde havia "Deus Eterno" ou "Eterno", há agora "Senhor Deus", "Deus, o Senhor", o que modificou 7 mil passagens.

Na verdade, estava acostumado a uma série de expressões poéticas na Bíblia de minha infância. O Salmo 42, então, começava assim:

"Como suspira a corça pelas correntes das águas, assim, por ti, ó Deus, suspira a minha alma."

Mas a versão atual diz:

"Assim como o corço deseja as águas do ribeirão, assim também quero estar na tua presença, ó Deus!"

Confesso que me sentia melhor com uma alma feminina, como uma "corça". Além do mais, "ribeirão" me remete para um córrego meio sujo, enquanto "correntes das águas" me fazia sentir mais cristalino.

Igualmente me compungia mais quando no livro de II Samuel (capítulo 18, versículo 33) o rei Davi, ao saber da morte de seu filho Absalão, desesperado e vagando em seu palácio, dizia:

"Meu filho Absalão, meu filho, meu filho Absalão! Quem me dera que eu morrera por ti, Absalão, meu filho, meu filho.".

No entanto, a nova versão é mais seca e objetiva, sem aquele "Quem me dera, eu morrera" convertido em "Eu preferia ter morrido".

Entendam-me, não estou criticando, que para isso não tenho competência, mas tão somente lembrando o eco que a linguagem antiga largou no meu espírito, possivelmente insuflando-me no caminho da poesia.

Traduzir é tarefa para santos ou penitentes. Aíla de Oliveira Gomes, por exemplo, acaba de traduzir *Rei Lear* de um dos santos da literatura – Shakespeare. E o fez com competência eclesiástica. Já outros, e há alguns casos crônicos em nossa literatura, apresentam-se como "transcriadores". Ou seja, não traduzem. Como brilhantes parasitas, fazem sua obra dentro da obra alheia.

Correndo todos os riscos de ser malcompreendido, tenho que revelar que Deus falava mais bonito na minha infância. Expressava-se por enigmas, parábolas e metáforas, que não entendendo eu, achava-as belas e sedutoras. Aliás, as religiões se fundaram a partir do mistério da linguagem. As religiões e as artes. A poesia está nas dobras, nas elipses.

Mas como os homens estão ficando cada vez mais estúpidos, e com o ouvido cada vez mais poluído, Deus tem sido obrigado a ser cada vez mais direto.

Mas quanto a mim, Senhor, pode continuar a falar por enigmas.

Que só um enigma a outro enigma pode esclarecer.

CONSIDERAÇÕES SOBRE O DIABO

Não se espantem, minhas amigas e amigos, mas é bem possível que estejamos enganados sobre quem criou o universo. A tradição diz que foi Deus! Está lá na Bíblia: "No princípio criou Deus os céus e a terra". E, quando escrevo esta crônica, não tenho tempo de verificar em outras mitologias como cada uma narra o princípio dos tempos. Provavelmente afirmam que foi Deus ou um codinome seu. E creio que todas estão enganadas.

Gostaria de propor aos doutores da lei uma nova versão sobre a origem de tudo. Tenho pensado nisso com frequência. Não é que fique meditando como um santo no deserto sobre isso. O fato é que, analisando a história e lendo os jornais, começo a ter sérias suspeitas, senão certeza, de que quem criou o universo não foi Deus, mas o diabo.

"Heresia!", vão dizer. Não. Sem ser um ortodoxo, também não sou herege. E estou ciente de que, se isso for aceito, será uma revolução tão grave como a copernicana, pois tirar Deus do centro da história e meter aí o diabo é mesmo estarrecedor. Mas faz mais sentido.

Alguém vai dizer: mas essa teoria já existe, chamava-se "diabolismo", e esteve em voga, por exemplo, na passagem do século, provocando uma retomada dos rituais de bruxaria, do sabá, e coisas que entre nós foram relatadas por João do Rio. Sim, realmente os poetas do fim do século, como Baudelaire, viviam dizendo: "Glória e louvor a ti, Satã". Contudo, esse não é o meu caso: eu e Lúcifer não nos damos bem desde o começo. E, além do mais, estou falando de algo mais radical. Algo que exigiria que lêssemos o livro do Gênese de outra maneira. Algo assim:

"No princípio, criou o diabo os infernos e a terra, e instalou Adão e Eva aí dentro.". E, a partir daí, foram se sucedendo os dias de malévola criação. Só que, em vez dos versículos que falam de separação das águas, de como os peixes e animais surgiram, esse texto iria dizendo coisas assim:

"No primeiro dia o diabo criou a soberba, e viu que era bom."

"No segundo dia, o diabo criou a luxúria, e viu que era bom."

"No terceiro dia, o diabo criou a preguiça, e viu que era bom."

"No quarto dia, o diabo criou a avareza, e viu que era bom."

"No quinto dia, o diabo criou a ira, e viu que era bom."

"No sexto dia, o diabo criou a gula, e viu que era bom."

"No sétimo dia, o diabo criou a inveja, e viu que era bom."

Acontece que, quando o diabo já ia descansar dessa trabalheira toda que foi criar o homem e a mulher à sua imagem e semelhança, e injetar-lhes as sete virtudes capitais, um de seus arcanjos, por sinal o mais graduado deles, um arcanjo chamado Deus, resolveu rebelar-se. Não estava gostando daquilo. Achou que o mundo era um inferno insuportável e que tinha de ser reformado. Pecou Deus, portanto, por soberba, julgando-se maior e mais bem-intencionado do que o criador original do homem e da mulher. Reuniu uma milícia de serafins e querubins e partiu para o confronto com o demo. Mas Satã, diabolicamente, ganhou a parada.

Como castigo para aquele Deus rebelde e toda a sua corte de bem-intencionados, resolveu o demônio exilá-los num lugar terrível chamado Céu. Fazia parte do castigo o fato de que, mesmo lá longe, a distância, Deus e os seus poderiam ver como o homem e a mulher se esbaldavam felizes no inferno.

Deus, naturalmente, ficou ali impotente durante alguns milênios. Mas, um dia, resolveu contra-atacar; infiltrou-se nas hostes inimigas, renascendo aqui na figura de Cristo, e veio tentar outra vez, com as melhores intenções, reformar, consertar, modificar os planos originais de Satã.

Não conseguiu. A rigor, aquele que os judeus chamam de Senhor dos Exércitos foi fragorosamente derrotado nessa batalha. Pintaram e bordaram com Cristo, e este ainda reclamou no meio do suplício "Pai, por que me abandonaste?".

E é assim. Volta e meia, Deus, exilado lá no Céu, resolve mandar um revolucionário, um santo, um artista para ver se consegue ajustar o mundo àquilo que julga melhor para nós.

No entanto, não adianta. Suas incursões são sempre setorizadas, consegue no máximo – como na guerrilha – ocupar uma parte do território, mas, até hoje, tem fracassado redondamente.

Um são Francisco vem, faz um certo rebuliço, acaba virando apenas um ícone no altar. Vem um outro, Ghandi: arrasta atrás de seu cajado os melhores sentimentos e, no máximo, consegue virar tema de um filme.

O demônio, naturalmente, se diverte com isso. Dá gargalhadas infernais. Faz piruetas, solta labaredas, reúne a sua corte, aponta para Deus e sua trupe de artistas, santos e guerrilheiros, e diz:

"Lá vai Deus outra vez. Não aprende o pobre coitado.".

Ultimamente, constata-se que, a rigor, o Senhor do Mal já nem manda mais seus exércitos enfrentarem o Senhor do Bem.

O Senhor do Mal se deu bem e o Senhor do Bem se deu mal.

Está convicto, o tinhoso, de que suas criaturas aqui na terra são infensas ao discurso do outro. Pode Deus falar, prometer, atrair de todas as maneiras, que Belzebu sabe que ele é melhor nessa negociação.

Os produtos de Lúcifer são mais atraentes aos olhos dos homens e mulheres. E ele tem uma vantagem: dá na hora o que outro quer, na contraentrega, enquanto Deus deixa para entregar depois, e há muitos, inúmeros casos de pessoas que nunca receberam a encomenda pela qual pagaram caro, com a própria vida.

BIBLIOGRAFIA

POESIA

Canto e palavra. Belo Horizonte: Imprensa Oficial, 1965.

Poesia sobre poesia. Rio de Janeiro: Imago, 1975.

A catedral de Colônia e outros poemas. Rio de Janeiro: Rocco, 1985.

A poesia possível: poesia reunida. Rio de Janeiro: Rocco, 1987.

A morte da baleia. São Paulo: Berlendis & Vertecchia, 1990.

Que país é este?. Rio de Janeiro: Rocco, 1990.

O lado esquerdo do meu peito. Rio de Janeiro: Rocco, 1992.

Epitáfio para o séc. XXI (antologia). São Paulo: Ediouro, 1997.

Antologia da Ediouro. São Paulo: Ediouro,1997.

A grande fala do índio Guarani (edição comemorativa). Rio de Janeiro: Rocco, 1998.

O intervalo amoroso (antologia). Porto Alegre: L&PM, 1999.

Textamentos. Rio de Janeiro: Rocco, 1999.

A sedução da palavra. Brasília: Letraviva, 2000.

Poesia reunida. Porto Alegre: L&PM, 2004. 2 v.

Vestígios. Rio de Janeiro: Rocco, 2005.

O homem e sua sombra. Porto Alegre: Alegoria, 2006.

A implosão da mentira e outros poemas (poesia infantojuvenil). São Paulo: Global, 2007.

Melhores poemas Affonso Romano de Sant'Anna (antologia). São Paulo: Global, 2010.

CRÔNICA

A mulher madura. Rio de Janeiro: Rocco, 1986.

O homem que conheceu o amor. Rio de Janeiro: Rocco, 1988.

A raiz quadrada do absurdo. Rio de Janeiro: Rocco, 1989.

De que ri a Mona Lisa?. Rio de Janeiro: Rocco, 1991.

Fizemos bem em resistir (antologia). Rio de Janeiro: Rocco, 1994.

Mistérios gozosos. Rio de Janeiro: Rocco, 1994.

Porta do colégio. São Paulo: Ática, 1995.

A vida por viver. Rio de Janeiro: Rocco, 1997.

A sedução da palavra. Brasília: Letraviva, 2000.

Que presente te dar? (antologia). Rio de Janeiro: Expressão e Cultura, 2001.

Nós, os que matamos Tim Lopes (antologia). Rio de Janeiro: Expressão e Cultura, 2002.

Pequenas seduções (antologia). Porto Alegre: Sulina, 2002.

Antes que elas cresçam (edição ilustrada). São Paulo: Landmark, 2003.

Melhores crônicas Affonso Romano de Sant'Anna (antologia). São Paulo: Global, 2003.

Tempo de delicadeza. Porto Alegre: L&PM, 2007.

ENSAIO

O desemprego do poeta. Belo Horizonte: Imprensa Universitária/ UFMG, 1962.

Por um novo conceito de literatura brasileira. Rio de Janeiro: Eldorado, 1977.

Como se faz literatura. Petrópolis: Vozes, 1985.

Paródia, paráfrase & cia. São Paulo: Ática, 1985.

Análise estrutural dos romances brasileiros. São Paulo: Ática, 1989.

O canibalismo amoroso. Rio de Janeiro: Rocco, 1990.

Agosto 1991 – Estamos em Moscou (com Marina Colasanti). São Paulo: Melhoramentos, 1991.

Estória dos sofrimentos, morte e ressurreição do Senhor Jesus Cristo na pintura de Emeric Marcier (livro-catálogo). Rio de Janeiro: Pinakoteke, 1993.

O que aprendemos até agora?. Florianópolis: UFSC, 1994.

Política e paixão. Rio de Janeiro: Rocco, 1994.

Desigualdade social e o desafio do século XXI. Rio de Janeiro: Fundação Biblioteca Nacional, 1996.

Barroco, alma do Brasil. Rio de Janeiro: Comunicação Máxima/ Bradesco, 1997.

Barroco, do quadrado à elipse. Rio de Janeiro: Rocco, 2000.

Desconstruir Duchamp. Rio de Janeiro: Vieira & Lent, 2003.

Que fazer de Ezra Pound. Rio de Janeiro: Imago: 2003.

Música popular e moderna poesia brasileira. São Paulo: Landmark, 2004.

A cegueira e o saber. Rio de Janeiro: Rocco, 2005.

Drummond, o Gauche no tempo (ampliado). Rio de Janeiro: Record,2008.

O enigma vazio. Rio de Janeiro: Rocco, 2008.

LEIA TAMBÉM

FERREIRA GULLAR
CRÔNICAS PARA JOVENS

As crônicas de Ferreira Gullar não formam apenas um painel interessante da vida comum: mostram o próprio autor como um homem simples, parecido com os vizinhos, vivendo um cotidiano que por certo tem problemas, mas também boas surpresas.

Assim como é difícil distingui-lo dos transeuntes de Copacabana, a comédia e o drama expostos em suas páginas dizem respeito ao cronista e a todos os seus leitores, e trazem um recado: a vida é mesmo fantástica!

MARCOS REY
CRÔNICAS PARA JOVENS

Marcos Rey sentia fascínio pela gargalhada.

Em toda a sua obra aparecem momentos de humor, mesmo quando ele é improvável.

Na crônica, encontra o espaço ideal para sua veia cômica, garantindo ao leitor boas risadas, em páginas memoráveis sobre nosso cotidiano.

CECÍLIA MEIRELES
CRÔNICAS PARA JOVENS

O livro reúne crônicas agrupadas em seis temas: De aves e flores, Ecos do Oriente, O passado manda lembranças, Impressionista, Quase poesia. A natureza, reflexões sobre a vida, o espaço urbano, reminiscências de lugares, de pessoas, de acontecimentos, pequenos detalhes do dia a dia são assuntos observados e tecidos com a sensibilidade poética de Cecília Meirelles.

As variadas emoções que vêm com a chegada do amor, a mulher infiel marcada a ferro pelo marido – cabra-macho –, a repentina aflição dos pais diante dos filhos que crescem e se transformam, a reverência silenciosa na presença de mestres artistas da beleza: aí estão algumas das deliciosas situações trazidas por Affonso Romano de Sant'Anna nesta antologia de crônicas.

O universo da juventude, as surpresas do amor, o poder da arte e das palavras, o incompreensível cotidiano são temas recorrentes. O recheio pode ser humor, poesia e, muitas vezes, até uma finíssima ironia; mas a presença constante é a simpatia com que vêm apresentadas as fragilidades humanas.

Por isso, o leitor vai, com toda certeza, concordar conosco: as crônicas de Affonso Romano de Sant'Anna são irresistíveis.

Dizer que Affonso Romano de Sant'Anna é poeta e cronista consagrado é revelar muito pouco desse mineiro que há décadas tem desempenhado papel importante no panorama literário e cultural do Brasil.

Professor em universidades brasileiras e estrangeiras (Dallas, Los Angeles, Aix-en-Provence e Colônia), pesquisador em várias áreas da arte, ocupou cargos públicos, como o de presidente da Biblioteca Nacional, onde desenvolveu programas importantes de modernização das bibliotecas brasileiras e de promoção da leitura. Ao longo da vida, imprime em tudo que faz a marca da ousadia e da generosidade. Daí tantas orientações de teses, as incansáveis andanças pelo Brasil, discutindo questões de literatura e de política cultural. Nesses encontros, de público variadíssimo, os jovens têm sido interlocutores privilegiados, o que lhe possibilita, sobretudo nas crônicas, uma escrita muito próxima do interesse do leitor jovem.